CW00957779

CONTINVATION
DES AMOVRS DE P. DE
RONSARD VANDOMOIS.

VINCENTI NON
VICTO GLORIA

A PARIS,

Pour Vincent Certenas libraire, tenant sa
boutique au Palais, en la gallerie par
ou lon va à la Chancellerie.

1 5 5 5.

CONTINVATION
des amours de P. de Ronsard Vandomois.

Sonnets en vers heroiques.

Hiard, chacun disoit à mon com-
mencement
Que i'estoi trop obscur au simple
populaire :
Auiourd'hui, chacun dit que ie
suis au contraire,
Et que ie me dements parlant trop bassement.

Toi, qui as enduré presqu'vn pareil torment,
Di moi, ie te suppli, di moi que doi-ie faire?
Di moi, si tu le sçais, comme doi-ie complaire
A ce monstre testu, diuers en iugement?

Quãd i'escri haultemẽt, il ne veult pas me lire,
Quand i'escri bassement, il ne fait qu'en médire:
De quel estroit lien tiẽdrai-ie, ou de quels clous

Ce mõstrueux Prothé, qui se chãge à tous cous?
Paix, paix, ie t'enten bien: il le fault laisser viure,
Et nous rire de lui, comme il se rit de nous.

Iodelle, l'autre iour, l'enfant de Cytherée
Au combat m'apela, courbãt son arc turquois,

Et lors comme hardi, ie vesti le harnois,
Pour auoir contre luy ma peau mieus asseurée.

Il me tira premier vne fleche asserée
Droict au cœur, puis vne autre, & puis tout à la
Il decocha sur moi les traicts de son carquois: (fois,
Sans qu'il eust d'ũ seul coup ma poictrine enferrée.

Mais quand il vit son arc de fleches desarmé,
Tout dépit s'est lui-mesme en fleche transformé,
Puis se rua dans moi d'une puissance extreme:

Quand ie me vi vaincu, ie me desarmé lors:
Car, las ! que m'eust serui de m'armer par dehors,
Ayant mon ennemi caché dedans moimesme?

Ce pendant que tu vois le superbe riuage
De la riuiere Tusque, & le mont Palatin,
Et que l'air des Latins, te fait parler latin,
Changeant a l'étranger ton naturel langage.

Vne fille d'Aniou me detient en seruage,
A laquelle baisant maintenant le tetin,
Et maintenant les yeus endormis au matin,
Ie vy (côme lon dit) trop plus heureus que sage.

Tu diras a Maigni , lisant ces vers ici,
Et,quoi! Ronsard est donq encores amoureus?
Mon Bellay, ie le suis, & le veus estre aussi,

Et ne veus côfesser qu'Amour soit malheureus,
Ou si c'est vn malheur, baste, ie delibere

De viure malheureus en si belle misere.

Peletier mon ami, le tems leger s'enfuit,
Ie change nuit & iour de poil & de ieunesse:
Mais ie ne change pas l'amour d'une maistresse
Qui dans mon cueur colée, eternelle me suit.

Toi, qui es des anfance en tout sauoir instruit,
(Si de nostre amitié l'antique neud te presse)
Cōme sage & plus vieil, dōne moi quelque adresse,
Pour euiter ce mal qui ma raison détruit.

Aide-moi, Peletier, si par philosophie,
Ou par le cours des cieus tu as iamaisapris
Vn remede d'amour, di-le moi ie te prie,

Car bien, qu'ores au ciel ton ceur soit eleué,
Si as-tu quelquefois d'une dame este pris.
Et pour dieu! conte-moi comme tu t'es sauué.

Aurat, apres tamort, la terre n'est pas digne,
Pourrir si docte cors, comme est vraiment le tien.
Les Dieux le changeront en quelque vois: ou bien,
Si Echon ne sufist, le changeront en Cigne,

Ou, en ce cors qui vit de rosée diuine,
Ou, en mouche qui fait le miel hymettien,
Ou, en l'oiseau qui chante, & le crime ancien

De Terée, au printemps redit sus vne épine.
Ou si tu n'es changé tout entier en quelq'un,
Tu vétiras vn cors, qui te sera commun.

a.iij.

Auecques tous ceus-cy , participant enfemble
  De tous(car vn pour toi fufifant ne me femble)
Et d'home feras fait vn beau monftre nouueau
De voix,Cigne,cigualle,& de mouche,et d'oyfeau

    E,n'effe,mon Paquier, é n'effe-pas grand cas!
Bien, que le corps party de tant de membres i'aye,
De mufcles,nerfs,tëdrons,de pommös,& de faye,
De mains, de pieds,de fläcs,de iambes, & de bras,
    Qu'Amour les laiffe en paix, et ne les naüre pas,
Et que luy pour fon but, opiniatre, effaye.
De faire dans mö cœur touiours touiours la playe,
Sans que iamais il vife ou plus hault ou plus bas!
    S'il eftoit vn enfant (comme on dit) aueuglé,
Son coup ne feroit point fi feur ne fi reiglé:
Vrayment il ne l'eft pas, car fes traits à tout-heure
    Ne fe viendroient ficher au cœur en mefme lieu.
Armerai-ie le mien? non, car des traits d'un Dieu
Il me plaift bië mourir,puisqu'ilfault que ie meure.

    Marie, qui voudroit voftre beau non tourner,
Il trouueroit, Aimer, aimez-moi donq , Marie,
Faites cela vers moi dont voftre nom vous prie,
Voftre amour ne fe peut en meilleur lieu donner:
    S'il vous plaift pour iamais vn plaifir demener,
Aimez moi,nous prendrons les plaifirs de la vie,
Penduz l'un l'autre aucol, & iamais nulle enuie

D'aimer en autre lieu, ne nous pourra mener.

Si faut il bien aimer au monde quelque chose,
Cellui qui n'aime point, cellui-la se propose
Vne vie d'un Scyte, & ses iours veut passer

Sãs gouster la douceur des douceurs la meilleure.
E,qu'est il rien de doux sans Venus ? las! al'heure
Que ie n'aimeray point puissai-ie trépasser.

Marie, vous passez en taille, & en visage,
En grace, en ris, en yeus , en sein, & en teton
Vostre moienne seur, d'autant que le bouton
D'un rosier franc surpasse, vne rose sauuage.

Ie ne dy pas pourtant qu'n rosier de bocage
Ne soit plaisant à l'œil, & qu'il ne sente bon:
Aussy ie ne dy pas que vostre seur Thoinon
Ne soit belle, mais quoy? vous l'estes dauantage.

Ie scay bien qu'apres vous, elle à le premier pris
De ce bourg, en beauté, & qu'on seroit espris
D'elle facilement, si vous estiez absente:

Mais quãd vous aprochez,lors sa beauté s'éfuit,
Ou morne elle deuient, par la vostre presente
Comme les astres font quand la Lune reluit.

Marie,à tous les coups vous me venez reprẽdre
Que ie suis trop leger, & me dites tousiours
Quãd ie vous veus baiser,que i'aille à ma Cassãdre
Et tousiours m'apellez inconstant en amours.

Ie le veus estre auſſi, les hômes ſont biĕ lours
Qui n'oſent en cĕt lieux neuue amour entreprĕdre,
Cétui-là qui ne veut qu'à vne ſeule entendre,
N'eſt pas digne qu'Amour lui face de bons tours.

Celui qui n'oſe faire vne amitié nouuelle,
A faute de courage, ou faute de ceruelle,
Se defiant de ſoi, qui ne peut auoir mieus.

Les hommes maladis, ou mattés de vieilleſſe,
Doiuent eſtre conſtans : mais ſotte eſt la ieuneſſe
Qui n'eſt point eueillée, & qui n'àime en cĕt lieus.

Marie, vous aués la ioüe auſſi vermeille
Qu'une roſe de Mai, vous aués les cheueus
De couleur de chaſtaigne, entrefriſés de neus,
Gentement tortillés tout-au-tour de l'oreille.

Quăd vous eſtiés petite, vne mignarde Abeille
Dans vos leüres forma ſon dous miel ſauoureus,
Amour laiſſa ſes trais dans vos yeus rigoreus,
Pithon vous feit la vois à nulle autre pareille.

Vous aués les tetins, cōme deux mons de lait
Caillé bien blanchement ſus du ionc nouuelet
Qu'une ieune pucelle au mois de Iuin façonne:

De Iunŏ ſont vos bras, des Graces voſtre ſein,
Vous aués de l'Aurore & le front, & la màin,
Mais vous aués le coeur d'une fiere Lionne.

Ie ne ſuis ſeulement amoureus de Marie,

Ianne me tient auſſy dans les liensd'Amour,
Ore l'une me plaiſt, ore l'autre à ſon tour:
Ainſi Tibulle aimoit Nemeſis, & Delie.

On me dira tantoſt que c'eſt vne folie
D'en aimer, inconſtant, deux ou trois en vn iour,
Voire, & qu'il faudroit bien vn homme de ſeiour,
Pour, gaillard, ſatisfaire à vne ſeule amie.

Ie reſpons à cela, que ie ſuis amoureus,
Et non pas iouïſſant de ce bien doucereus,
Que tout amant ſouhaite auoir à ſa commande:

Quant à moi, ſeulement ie leur baiſe la main,
Ie deuiſe, ie vy, ie leur taſte le ſein,
Et rien que ces biens là, d'elles ie ne demande.

Amour eſtant marri, qu'il auoit ſes ſaigettes
Tiré contre Marie, & ne l'auoit bleſſée,
Par depit, dans vn bois ſa trouſſe auoit laiſſée
Tant q̃ plene elle fuſt d'un bel * eſſain d'Auettes.

Ia de leurs piquerons, ces captiues mouchettes
Pour auoir liberté, la trouſſe auoient perſée:
Et ſ'enfuioyent alors qu'Amour la renuerſée
Sur la face à Marie, & ſus ſes mammelettes.

Soudain, apres qu'il eut ſon carquois dechargé,
Tout riant ſautela, penſant eſtre vangé
De celle, à qui ſon arc n'auoit ſçeu faire outrage,
Mais il rioit en vain: car ces filles du ciel

* Eſſain
eſt ce que
les Latins
apellent
examen.

En lieu de la piquer, baisans son beau visage,
En amassoyent les fleurs, & en faisoyent du miel.

Ie veuls me souuenant de ma gentille Amie
Boire ce soir d'autant, & pource, Corydon
Fay remplir mes flacons, & verse à-labandon
Du vin, pour resiouir toute la compagnie.

Soit que m'amie ait nõ, ou Cassandre, ou Marie,
Ie m'en vois boire autant que de lettre à son nom,
Et toi, si de ta belle & ieune Madelon
Belleau, l'amour te point, ie te pry ne l'oublie.

Qu'õ m'õbrage le chef de vigne, & de l'hierre,
Les bras, & tout le col, qu'on enfleure la terre
De roses, & de lis, & que dessus le ionc

On me caille du lait rougi de mainte fraise:
Et n'esse pas bien fait? or sus, commençon donq,
Et chassõ loin de nous, tout soing & tout malaise.

Que me seruët mes vers, & les sons de ma lyre?
Quãd nuit et iour ie chãge et de meurs et de peau,
Pour en aimer trop vne, he que l'hõme est biẽ veau
Qui aux dames se fie, & pour elles souspire!

Ie pleure, ie me deux, ie cry, ie me martire,
Ie fay mile sonnetz, ie me romps le cerueau,
Et si ie suy hai, vn amoureus nouueau
Gaigne tousiours ma place, & ie ne l'ose dire.

Ah? que ma Dame est fine, el'me tient a mépris,

Pour ce qu'elle voit bien que d'elle suis espris,
Et que ie l'aime trop. auant que ie l'aimasse,

Elle n'aimoit que moi, mais or'que i'ai empris
De l'aimer, el'me laisse, & s'en court à la chasse
Pour en reprendre vn autre ainsi qu'elle m'a pris.

Ma plume sinon vous ne sçait autre suget,
Mon pié sinon vers vous ne sçait autre voiage,
Ma langue sinon vous ne sçait autre langaige,
Et mon œil sinon vous ne connoît autre obiet.

Si ie souhaite rien, vous estes mõ souhait,
Vous estes le doux gaing de mon plaisant dõmage,
Vous estes le seul but ou vise mon courage,
Et seulement en vous tout mon rond se parfait.

Ie ne suis point de ceus qui chãgent de fortune,
Cõme vn tas d'amoureus, aimãs au iourd'huy l'une,
Et le lendemain l'autre, helas! i'ayme trop mieus

Cent fois que ie ne dy, & plustost que de faire
Chose qui peut en rien nostre amytie defaire:
I'aimerois mieux mourir, tãt i'aime vos beaux yeus.

Vous ne le voulez-pas? & biẽ, i'en suis cõtant,
Contre vostre rigueur Dieu me doint patience,
Deuãt qu'il soit vingt ans i'en auray la vẽgence,
Voiant ternir voz yeus qui me trauaillent tant.

On ne voit amoureus au monde si constant
Qui ne perdist le coeur, perdant sa recompense,

Quant à moi, si ne fuſt la longue experience,
Que i'ay, de ſoufrir mal, ie mourrois à l'inſtant.
      Toutesfois quãd ie pěſe vn peu dans mõ courage
Que ie ne ſuis tout ſeul des femmes abuſé,
Et que de plus ruſés en ont reçeu dommage,
      Ie pardonne à moimeſme, &-m'ay pour excuſé:
Car vous qui me trompés, en eſtes couſtumiere,
Et qui pis eſt, ſur toute en beauté la premiere.

      Le vintiéme d'Auril couché ſur l'herbelette,
Ie vy ce, me ſembloit, en dormant vn Cheureuil,
Qui çà, puis là marchoit où le menoit ſon vueil:
Foulant les belles fleurs de mainte gambelette.
      Vne corne &- vne autre encore nouuellette
Enfloit ſon petit front, petit, mais plein d'orgueil,
Comme vn Soleil luiſoit par les prets ſon bel oeil,
Et vn carquan pendoit ſus ſa gorge douillette.
      Si toſt que ie le vy, ie voulu courre aprés,
Et lui qui m'auiſa, print ſa courſe es forés,
Où ſe moquant de moi, ne me voulut attendre.
      Mais en ſuiuant ſon trac, ie ne m'auiſay pas
D'un piege entre les fleurs, qui me lia mes pas,
Et voulãt prēdre autrui, moimeſme me fis prēdre.

      Biē que vous ſurpaßiés en grace &- en richeſſe
Celles de ce païs, &- de toute autre part:
Vous ne deués pourtant, &- fußiés vous princeſſe,

Iamais vous repentir d'auoir aimé Ronsard.

Ceſt lui, Dame, qui peut auecque ſon bel art,
Vous afranchir des ans, & vous faire Deeſſe:
Prométre il peut cela, car rien de lui ne part,
Qu'il ne ſoit immortel, & le ciel le confeſſe.

Vous me reſpõderés, qu'il eſt vn peu ſourdaut,
Et que c'eſt deplaiſir en amour parler haut:
Vous dites verité, mais vous celés aprés,

Que luy, pour vo° ouir, s'aproche à vôtre oreille,
Et qu'il baiſe à tous coups vôtre bouche vermeille
Au milieu des propos, d'autant qu'il en eſt prés.

Mais reſpons, meſchãt Loir? me rens-tu ce loier,
Pour auoir tant chanté ta gloire & ta louange?
As-tu oſé, barbare, au milieu de ta fange
Renuerſant mon bateau, ſous tes eaus m'en uoier?

Si ma plume eut daigné ſeulement emploier
Six vers, à celebrer quelque autre fleuue eſtrange,
Quiconque ſoit celui, fuſſe le Nil, ou Gange,
Comme toi, n'euſt voulu dans ſes eaus me noier.

D'autant que ie t'aimoi, ie me fiois en toi,
Mais tu m'as bien mõtré que l'eau n'a point de foi:
N'es-tu pas bien meſchant? pour rendre plus famé

Ton cours, à tout iamais du los qui de moi part,
Tu m'as voulu noier, à fin d'eſtre nommé
En lieu du Loir, le fleuue où ſe noya Ronſard.

Amour tu me fis voir, pour trois grãdes merueilles,
Trois seurs, allant au soer se pourmener sur l'eau,
Qui croissoient a l'enuy, ainsi qu'au renouueau
Croissent dans vn pommier trois pommettes pareilles.

Toutes le trois estoient en beauté nompareilles,
Mais la plus ieune auoit le visage plus beau,
Et sembloit vne fleur voisine d'un ruysseau,
Qui remire dans l'eau ses richesses vermeilles.

Ores ie souhaitois la plus vieille en mes vœus,
Et ores la moienne, & ores toutes deux,
Mais tousiours la petite estoit en ma pensée,

Et priois le Soleil de n'enmener le iour:
Car ma veüe en trois ans n'eust pas esté lassée
De voir ces trois Soleiz qui m'enflamoiẽt d'amour.

Mon ami puisse aimer vne femme de ville,
Belle, courtoise, honeste, & de doux entretien:
Mon haineux puisse aimer au village vne fille,
Qui soit badine, sote, & qui ne sache rien.

Tout ainsi qu'en amour le plus excellent bien
Est d'aimer vne femme, & sauante, & gentille:
Aussi le plus grand mal à ceuls qui aiment bien,
C'est d'aimer vne femme indocte, & mal-habille.

Vne gentille Dame entendra de nature
Quel plaisir c'est d'aimer, l'autre n'en auva cure
Se peignant vn honneur dedans son esprit sot,

Vo° l'aurez beau preſcher, et dire qu'elle eſt belle,
Sans ſ'eſmouuoir de rien, vous entẽdra pres d'elle
Parler vn iour entier, & ne reſpondra mot.

Ie croi que ie mouroi' ſi ce n'eſtoit la Muſe
Qui deçà & delà fidelle m'acõpaigne
Sãs ſe laſſer, par chãs, par bois. & par mõtaigne,
Et de ſes beaus preſens tous mes ſoucis abuſe.
    Si ie ſuis enuyé, ie n'ay point d'autre ruſe
Pour me deſennuyer, que Clion ma Compaigne,
Si toſt que ie l'apelle, elle ne me dedaigne,
Et de me venir voir iamais el' ne ſ'excuſe:
    Des preſens des neuf Seurs ſoit en toute ſaiſon
Pleine toute ma chambre, & plaine ma maiſon,
Car la roüille iamais à leurs beaus dons ne touche.
    Le Tin ne fleurît pas aus Abeilles ſi dous
Cõme leurs beaus preſens me ſõt doux à la bouche,
Deſquels les bons eſprits ne furent iamais ſaouls.

    Mignongne, leués-vous, vous eſtes pareſſeuſe,
Ia la gaie Alouette au ciel à fredonné,
Et ia le Roſſignol friſquement iargonné,
Deſſus l'eſpine aſſis, ſa complainte amoureuſe.
    Debout-donq, allon voir l'herbelette perleuſe,
Et voſtre beau Roſier de boutons couronné,
Et voz oeillets aimés, auſquels aués donné
Hyer au ſoir de l'eau, d'une main ſi ſongneuſe.

Hyer en vous couchant, vous me fiſtes promeſſe
D'eſtre plus-toſt que moi ce matin eueillée,
Mais le ſomeil vous tient encor toute ſillée:
  Ian, ie vous punirai du peché de pareſſe,
Ie vois baiſer cent fois voſtre oeil, voſtre tetin,
Afin de vous aprendre à vous leuer matin.

Bayf, il ſemble à voir tes rymes langoreuſes,
Que tu ſois ſeul amant, en France, langoreus,
Et que tes compaignons ne ſont point amoureus,
Mais fõt lãguir leurs vers deſous feïtes pleureuſes.
  Tu te trompes, Bayf, les peines doloreuſes
D'Amour, autant que toi nous rendent doloreus,
Sans noˢ feindre vn tourmẽt: mais tu es plˢ heureus
Que nous, à raconter tes peines amoureuſes.
  Quant à moi, ſi i'eſtois ta Francine chantée,
Ie ne ſerois iamais de ton vers enchantée
Qui ſe faignant vn dueil, ſe fait palir lui-meſme.
  Non, celui n'aime point, ou bien il aime peu,
Qui peut donner par ſigne à cognoiſtre ſon feu,
Et qui peut raconter le quart de ce qu'il aime.

Ie ne ſuis variable, & ſi ne veus aprendre
(Deſia griſon) à l'eſtre, auſſi ce neſt qu'émoi:
Ie ne dy pas ſi Iane eſtoit priſe de moi,
Que toſt ie n'oubliaſſe & Marie & Caſſandre,

Ie ne ſuis pas celui qui veus Paris reprendre
D'auoir manqué ſi toſt à Pegaſis de foy,
Plutoſt que d'accuſer ce ieune enfant de Roy
D'eſtre en amour leger, ie voudrois le defendre.

Il fiſt bien, il fiſt bien, de rauir cette Helene,
Cette Helene qui fut de beauté ſi treſ-plene,
Que du grand Iupiter on la diſoit anfant.

L'amant eſt biẽ guidé d'une heure malheureuſe,
Quand il trouue ſon mieus, ſi ſon mieus il ne prẽt,
Sans languir tant es bras d'une vieille amoureuſe.

C'eſt grãd cas que d'aimer! ſi ie ſuis vne annéé
Auecque ma maitreſſe à deuiſer touiours,
Et à lui raconter quelles ſont mes amours,
Lan me ſemble plus court qu'une ſeule iournée.

S'une autre parle à moi, i'en ay l'ame gennée,
Où ie ne lui di mot, ou mes propos ſont lours,
Au milieu du deuis ſ'egarent mes diſcours,
Et tout ainſi que moi, ma langue eſt eſtonnée.

Mais quand ie ſuis aupres de celle qui me tient
Le coeur dedans ſes yeus, ſans me forçer me vient
Vn propos deſſus l'autre, & iamais ie ne ceſſe

De baiſer, de taſter, de rire, & de parler:
Car pour eſtre cent ans aupres de ma maitreſſe
Cent ans me ſont trop cours, & ne m'en puis aller.

E, que me ſert, Paſchal, ceſte belle verdure

Qui rit parmi les prés, & d'oüir les oiseaus,
D'oüir par le pendant des colines, les eaus,
Et des vents du prin-tems le gracieus murmure?
    Quãd celle qui me beße, & de mon mal n'a cure
Est absente de moi, & pour croistre mes maus
Me cache la clarté de ses astres iumeaus,
De ses yeus, dont mon coeur prenoit sa nourriture.
    I'aimeroi beaucoup mieus, qu'il fust hyuer tousio
Car l'hyuer n'est si propre à nourir les amours(urs
Comme est le renouueau, qui d'aimer me conuie,
    Ainçois de me hayr: puis que ie n'ay pouuoir
En ce beau mois d'Auril entre mes bras d'auoir
Celle qui dans ses yeus tient ma mort & ma vie.

Sonetz en vers de dix à onze syllabes.

IE ne saurois aimer autre que vous
    Non, Dame, non, ie ne saurois le faire:
Autre que vous ne me sauroit complaire,
Et fust Venus descendue entre nous.
    Voz yeus me sont si gracieus & dous,
Que d'un seul clin ils me peuuent defaire,
D'un autre clin tout soudain me refaire,
Me faisant viure ou mourir en deux cous.
    Quand ie serois cinq cens mille ans en vie,
Autre que vous ma mignonne m'amie,

Ne me feront amoureus deuenir.
 Il me faudroit refaire d'autres venes,
Les miennes sont de voftre amour si plenes,
Qu'un autre amour n'y sauroit plus tenir.

 Pour aimer trop vne fiere beauté,
Ie suis en peine, & si ne saurois dire
D'où, ni comment, me suruint ce martyre,
Ni à quel ieu ie perdi liberté.
 Si sçai-ie bien que ie suis arresté
Au lacs d'amour: & si ne m'en retire,
N'i ne voudrois, car plus mon mal empire
Et plus ie veus y estre mal traicté.
 Ie ne di pas, selle vouloir vn iour
Entre ses bras me garir de l'amour
Que son present bien agré ie ne prinse,
 E Dieu du ciel, é qui ne le prendroit!
Quand seulement de son baiser, vn Prince
Voire vn grand Roy, bien heureus se tiendroit.

 E que ie porte & de hayne & d'enuie
Au medecin qui vient soir & matin
Sans nul propos, tatonner le tetin,
Le sein, le ventre & les flans de m'amie:
 Las! il n'est pas si songneus de sa vie
Comme elle pense. il est mechant & fin
                                    b. ij.

Cent fois le iour ne la vient voir, qu'a fin
De voir son sein qui d'aimer le conuie.
   Vous qui aués de sa fieüre le soin,
Ie vous supli de me chasser bien loin
Ce medecin amoureus de m'amie,
   Qui fait semblant de la venir penser,
Que pluest à Dieu, pour l'en recompenser,
Qu'il eust ma peine, & qu'elle fust guarie.

   Dites maitresse! & que vous ai-ie fait!
E, pourquoy las! m'estes vous si cruelle?
Ai-ie failly de vous estre fidelle ?
Ai-ie enuers vous commis quelque forfait?
   Dites maitresse, é que vous ai-ie fait!
E, pourquoy las m'estes vous si cruelle!
Ai-ie failli de vous estre fidelle ?
Ai-ie enuers vous commis quelque forfait?
   Certes nenny: car plutost que de faire
Chose qui deust, tant soit peu, vous déplaire,
l'aimerois mieus mille mors encourir.
   Mais ie voi bien que vous auez enuie
De me tuer. faites-moy donq mourir,
Puis qu'il vous plaît: car à vous est ma vie.

   Chacun qui voit ma couleur triste & noire,
Me dit, Ronsard, vous estes amoureus:

Mais cette-là qui me fait langoreus,
Le sçait, le voit, & si ne le veut croire.
  E, que me sert que mon mal soit notoire
A vn chacun, quand son coeur rigoreus,
Par ne sçai quel desastre malheureus
Me fait la playe, & si la prend à gloire ?
  C'est vn grand cas! que pour cent fois iurer,
Cent fois promette, & cent fois asseurer
Qu'autre iamais n'aura sus moi puissance,
  Qu'elle s'esbat de me voir en langueur:
Et plus de moi ie lui donne asseurance,
Moins me veut croire, & m'apelle vn moqueur.

  Plus que iamais ie veus aimer, Maitresse,
Vôtre oeil diuin, qui me detient rauy
Mon coeur chez lui, du iour que ie le vi,
Tel, qu'il sembloit celui d'une deésse.
  C'est ce bel oeil qui me paist de liesse,
Liesse, non, mais d'un mal dont ie vi,
Mal, mais vn bien, qui ma touiours suiuy,
Me nourrissant de ioye & de tristesse.
  Desia neuf ans euanouiz se sont
Que voz beaus yeus en me riant, me font
La playe au coeur, & si ne me soucye
  Quand ie mourois d'un mal si gracieus:
Car rien ne peut venir de voz beaus yeus
                              b. iij.

Qui ne me soit trop plus cher que la vie.

Quand ma maitreße au monde print naißance
Honneur, Vertu, Grace, Sauoir, Beauté
Eurent debat auec la Chasteté
Qui plus auroit fus elle de puißance.
  L'une vouloit en auoir iouyßance,
L'autre vouloit l'auoir de fon costé,
Et le debat immortel eust esté
Sans Iupiter, qui leur posa silence.
  Filles, dit il, ce n'est pas la raifon
Que l'une feule ait fi belle maifon,
Pour-ce ie veus qu'apointement on face.
L'accord fut fait: & plus foudainement
Qu'il ne l'eut dit, toutes egalement
En fon beau corps pour iamais prindrent place.

  Ie vous enuoye vn bouquet de ma main
Que i'ay ourdy de ces fleurs epanies,
Qui ne les eust à ce vespre cuillies,
Flaques à terre elles cherroient demain.
  Cela vous foit vn exemple certain
Que voz beautés, bien qu'elles foient fleuries,
En peu de tems cherront toutes flétries,
Et periront, comme ces fleurs, foudain.
  Le tems s'en va, le tems s'en va, ma Dame,

Las! le
Et tost
Et a
Quand
Pour-c

Gen
Ie te fu
Et qu'
Le fan
En
De fon
A cell
Vn fa
Ha
Que ie
En fou
He
Ha ie
S'euat

l'a
Le foi
Où ie
Qui p
l'a

Las! le tems non, mais nous nous en allons,
Et tost ferons estendus sous la lame:
   Et des amours desquelles nous parlons,
Quand serons morts, n'en sera plus nouuelle:
Pour- ce aimés moi, ce pendant qu'estes belle.

   Gentil Barbier, enfant de Podalyre,
Ie te supply, seigne bien ma maitresse,
Et qu'en ce mois, en seignant, elle laisse
Le sang gelé dont elle me martyre.
   Encore vn peu dans la palette tire
De son sang froid, ains de sa glace épesse,
A cellefin qu'en sa place renaisse
Vn sang plus chaut qui de m'aimer l'inspire.
   Ha! velelà, c'estoit ce sang si noir
Que ie n'ay peu de mon chaud émouuoir
En soupirant pour elle mainte année.
   Ha c'est assez, cesse gentil Barbier,
Ha ie me pâme! & mon ame estonnée
S'euanoist, en voiant son meurtrier.

   I'aurai tousiours en vne hayne extréme
Le soir, la cheze, & le lit odieus,
Où ie fu pris, sans y penser, des yeus
Qui pour aimer, me font hayr moi-mesme.
   I'aurai tousiours le front pensif & bléme
             b. iiij

Quand ie voirray ce bocage ennuieus,
Et ce iardin de mon aise enuieus,
Où i'auisay cette beauté supréme,
  I'aurai touiours en haine plus que mort
Le mois de Mai, le lyerre, & le fort
Qu'elle écriuit sus vne verte feille:
  I'auray tousiours cette lettre en horreur,
Dont pour Adieu, sa main tendre & vermeille
Me fait present pour me l'emprindre au coeur.

  E, Dieu du ciel, ie n'eusse pas pensé,
Qu'un seul depart eust causé tant de pene!
Ie n'ay sur moi nerf, ni tendon, ni vene,
Fait, ni coeur qui n'en soit offensé.
  Helas! ie suis a-demi trespassé,
Ains du tout mort, las! ma douce inhumaine,
Auecques elle, en s'en allant, enmaine
Mon coeur captif de ses beaus yeus blessé.
  Que pleust à Dieu ne l'auoir iamais veüe!
Son oeil gentil ne m'eust la flamme esmeüe,
Par qui me faut vn tourment receuoir,
  Tel, que ma main m'occircit à cette heure,
Sans vn penser que i'ai de la reuoir,
Et ce penser garde que ie ne meure.

  Ha, petit chien, que tu serois heureus,

Si ton bon heur tu sçauois bien entendre,
D ainsi coucher au giron de Cassandre,
Et de dormir en ses bras amoureus.

Mais, las! ie vy chetif & langoreus,
Pour sçauoir trop mes miseres comprendre:
Las! pour vouloir en ma ieunesse aprendre
Trop de sçauoir, ie me fis malheureus.

Mon Dieu que n'ai-ie au chef l'entendement
Aussi plombé, qu'un qui iournelement
Besche à la vigne, où fagotte au bocage!

Ie ne serois chetif comme ie suis,
Le trop d'esprit ne me feroit domage
Et ne pourrois comprendre mes ennuis.

Sonetz en vers Heroiques.

D'Vne belle Marie, en vne autre Marie,
Belleau, ie suis tombé, & si dire ne puis
De laquelle des deux plus l'amour ie poursuis,
Car i'en aime bien l'une, & l'autre est biē m'amie.

On dit qu'une amitie qui se depart demie
Ne dure pas long tems, & n'aporte qu'ennuis,
Mais ce n'est qu'un abus: car tant ferme ie suis
Que pour en aimer vne, vne autre ie n'oublie.

Tousiours vne amitié plus est enracinée
Plus long tems elle dure, & plus est ostinée

A soufrir de l'amour l'orage vehement:
 E, ne sçais-tu, Belleau, que deux ancres getées
Dans la mer, quand plus fort les eaus sont agitées,
Tiennent mieus vne nef, qu'une ancre seulement?

 Quãd ie serois vn Turc, vn Arabe, ou vn Scythe
Pauure, captif, malade, & d'honneur deuestu,
Laid, vieillard, impotent, encor ne deurois-tu
Estre, comme tu es, enuers moi si dépite:
 Ie suis bien asseuré que mon coeur ne merite
D'aimer en si bon lieu, mais ta seule vertu
Me force de ce faire, & plus ie suis batu
De ta fiere rigueur, plus ta beauté m'incite.
 Si tu penses trouuer vn seruiteur qui soit
Digne de ta beauté, ton penser te deçoit,
Car vn Dieu (tãt s'en faut vn hõme) n'en est digne,
 Si tu veus donq aimer, il faut baisser ton coeur:
Ne sçais-tu que Venus (bien qu'elle fust diuine)
Iadis pour son ami choisit bien vn pasteur?

 Dame ie ne vous puis ofrir à mon depart
Sinon mon pauure coeur, prenés-le ie vous prie,
Si vous ne le prenés,, iamais vne autre amie
(I'en iure par voz yeus) iamais n'y aura part.
 Ie le sen déia bien comme ioyeus il part
Hors de mon estomac, peu sougneus de ma vie,

Pour s'en aller chés vous, & rien ne le conuie.
D'y aller, (ce dit il) que vôtre dous regard.
  Or si vous le chassés, ie ne veus plus qu'il viéne
Vers moi, pour y r'auoir sa demeure ancienne,
Hayssant à la mort ce qui vous deplaira:
  Il m'aura beau conter sa peine & son malaise,
Comme il fut parauant, plus mien il ne sera
Car ie ne veus rié voir chés moi, qui vous deplaise.

  Rossignol mon mignon, qui dans cette saulaye
Vas seul de branche en branche à ton gré voletant
Degoisant à l'enuy de moi, qui vois chantant
Celle, qui faut tousiours que dans la bouche i'aie,
  Nous soupirons tous deux, ta douce vois s'essaie
De flechir celle-là, qui te va tourmentant,
Et moi, ie suis aussi cette-là regrettant,
Qui m'a fait dans le coeur vne si aigre plaie.
  Toutesfois, Rossignol nous differons d'un point,
C'est que tu es aimé, & ie ne le suis point,
Bien que tous deux aions les musiques pareilles,
  Car tu flechis t'amie au dous bruit de tes sons,
Mais la mienne qui prent à dépit mes chansons
Pour ne les escouter, me bouche les oreilles.

  Si vous pensés que Mai, & sa belle verdure
De vôtre fieure quarte effacent la langueur

Vous vo° tröpés beaucoup, il faut premier mõ coeur
Garir du mal qu'il fent, & fi n'en aués cure.

Il faut donque premier me garir la pointure
Que voz yeus dãs mon coeur me font par leur ri-
Et tout foudaï apres vo° reprëdrés vigueur, (gueur,
Quãd vous l'aurés gary du tourmët qu'il endure.

Le mal que vous aués, ne vient d'autre raifon,
Sinon de moi, qui fis aus Dieus vne oraifon,
Pour me venger de vous, de vous faire malade.

E, vraiment c'eft bien dit, é vous voulez garir,
Et fi ne voulez pas vôtre amant fecourir,
Que vous gaririez bien feulement d'une oeillade.

I'ay cent fois defiré & cent encores d'eftre
Vn inuifible efprit, afin de me cacher
Au fond de vôtre coeur, pour l'humeur rechercher
Qui vous fait contre moi fi cruelle aparoiftre:

Si i'eftois dedans vous, aumoins ie ferois maiftre
Maugré vous, de l'humeur qui ne fait qu'ëpefcher
Amour, & fi n'auriez nerf, ne poux fous la chair
Que ie ne recherchaffe afin de vous cognoiftre.

Ie fçarois vne à vne & voz complexions,
Toutes voz voluntés, & voz conditions,
Et chafferois fi bien la froideur de voz venes,

Que les flammes d'Amour vous y allumeriez,
Puis quand ie les voirrois de fon feu toutes plenes,

Ie redeuiendrois hŏme,& lors vous m'aimeriez.

Pour-ce que tu sçais biẽ que ie t'aime trop mieus,
Trop mieus dix mille fois,que ie ne fais ma vie,
Que ie ne fais mon coeur,ma bouche,ni mes yeus,
Plus que le nom de mort,tu fuis le nom d'amie.
Si ie faisois semblant de n'auoir poinr enuie
D'estre ton seruiteur,tu m'aimerois trop mieus,
Trop mieus dix mille fois que tu ne fais ta vie,
Que tu ne fais ton coeur,ta bouche ni tes yeus.
C'est d'amour la coustume,alors q̃ plus on aime,
D'estre tousiours hay :ie le sçai par moi-mesme
Qui suis hay de toi,seulement quand tu m'ois
Iurer que ie suis tien,helas,que doi-ie faire!
Tout ainsi qu'on garist vn mal par son contraire,
Si ie te haïssois,soudain tu m'aimerois.

Quand ie vous dis Adieu,Dame,mon seul apuy
Ie laissé dans voz yeus mŏ coeur,pour sa demeure
Engaige de ma foi: &si ay depuis l'heure
Que ie le vous laissay,tousiours vescu d'ennuy.
Mais pour Dieu ie vous pri,me le rendre auiour-
Que ie suis retourné,de peur q̃ ie ne meure: (d'huy
Car ie mourois sans coeur,ou,q̃ vôtre oeil m'asseure
Que vous me donnerez le vôtre en lieu de lui.
Las!dŏnez-le-moi dŏq, & de l'oeil faittes signe

Que vôtre coeur est mien, & que vous n'avés rien
Qui ne soit fort ioieus, vous laissant, de me suiure
  Ou-bien si vous voyés que ie ne sois pas digne
D'auoir chés moi le vôtre, aumoins rendés le mien,
Car sans auoir vn coeur ie ne saurois plus viure.

  Tu as beau, Iupiter, l'air de flammes dissouldre,
Et faire galloper tes haux-tonnans cheuaus,
Ronflans deça delà, dans le creux des nuaus,
Et en cêt mille esclats tout d'un coup les dissoudre:
  Ce n'est pas moi qui craîs tes esclairs, ni ta foudre
Comme les coeurs poureus des autres animaus,
Il y a trop lon tems que les foudres iumeaus
Des yeus de ma maitresse ont mis le miê en poudre.
  Ie n'ai plus ni tendons, ni arteres, ni nerfs,
Venes, muscles, ni poux, les feux que i'ai soufferts
Au coeur pour trop aimer, me les ont mis en cêdre.
  Et ie ne suis plus rien (ô estrange meschef)
Qu'un Terme qui ne peut voir, n'oüyr, ni entendre,
Tant la foudre d'amour, est cheute sus mon chef.

  Dôques pour trop aimer il fault que ie trépasse,
La mort, de mon amour sera donq le loyer,
L'hôme est biê malheureus qui se veut emploier
Par trauail, meriter d'une ingrate la grace:
  Mais ie te pri, di moi, que veus-tu que ie face?

Quelle preuue veus-tu afin de te ployer
A pitié, las! veus-tu que ie m'aille noyer,
Ou, que de ma main propre à mort ie me deface?

   Es tu quelque Bufire, ou Cacus inhumain,
Pour te fouler ainfi du pauure fang humain?
E, di ne crains-tu point Nemefis la Déeffe,

   Qui te redemandra mon fang verfé à tort?
E, di, ne crains-tu point la troupe vengereffe
Des Sœurs, qui puniront ton crime apres la mort?

   Veus-tu fçauoir, Brués, en quel eftat ie fuis?
Ie te le conterai: d'un pauure miferable,
Il n'i a nul eftat, tant foit il pitoiable
Que ie n'aille paffant d'un feul de mes ennuis,

   Ie tien tout, ie n'ay rien, ie veus & fi ne puis,
Ie reuy, ie remeurs, ma plaie eft incurable:
Qui veut feruir Amour, ce tyran execrable,
Pour toute recompenfe il reçoit de tels fruis.

   Pleurs, larmes, & fouspirs acompagnent ma vie,
Langueur, douleur, regrets, foupçon, & ialoufie
Auecques vn penfer qui ne me laiffe auoir

   Vn moment de repos: & plus ie ne fens viure
L'efperance en mon coeur, mais le feul defefpoir
Qui me guide à la mort, & ie le veus bien fuiure.

   Ne me di plus, Imbret, que ie chante d'Amour,

Ce traiſtre,ce mechant:cõment pouroi-ie faire
Que mon eſprit vouluſt loüer ſon aduerſaire,
Qui ne donne en ſa peine vn moment de ſeiour!
   Si m'auoit fait aumoins quelque petit bon tour,
Ie l'en remerciroſ,mais il ne veut ſe plaire
Qu'a rengreger mõ mal,& pour mieus me défaire
Me met deuant les yeus ma Dame nuit & iour.
   Bien que Tantale ſoit miſerable là-bas ,
Ie le paſſe en malheur:car ſi ne mange pas
Le fruit qui pend ſur lui,toutesfois il le touche,
   Et le baiſe,& ſ'en ioüe:& moi bien que ie ſois
Aupres de mon plaiſir,ſeulement de la bouche
Ni des mains, tant ſoit peu, toucher ne l'oſerois.

Quiconque voudra ſuiure amour ainſi que moi,
Celui ſe delibere en penible triſteſſe
Mourir ainſi que moi, il pleuſt à la Deeſſe
Qui tient Cypre en ſes mains,de faire telle loi.
   Apres mainte miſere & maint faſcheus émoi
Il lui faudra mourir, & ſa fiere maitreſſe,
Le voiant au tombeau, ſautera de lieſſe
Sus le corps de l'amant, mort pour garder ſa foy,
   Allez-donq maintenãt faire ſeruice aus Dames,
Offrez-leur pour preſent,et voz corps et voz ames
Vous en receuerés vn ſalaire bien dous.
   Ie croi que Dieu les feit afin de nuire à l'hõme

,, Il les feit (Pardaillan) pour noſtre malheur, cõme
,, Les Tygres, les Lyons, les Serpens, & les lous

I'auois cent fois iuré de iamais ne reuoir
(O ſerment d'amoureus) l'angelique viſage
Qui depuis quinze mois en penible ſeruage
Empriſonne mon coeur, & ne le puis rauoir.
I'en auois fait ſerment: mais ie n'ai le pouuoir
M'engarder d'y aller, car mon forcé courage
Bien que ſoit maugré moi, ſurmonté de luſage
D'amour, touſiours m'y mene, abuſé d'un eſpoir.
,, Le deſtin Pardaillan, eſt vne forte choſe!
,, L'homme dedans ſon coeur ſes affaires diſpoſe
,, Et le ciel fait tourner ſes deſſains au rebours:
Ie ſçai bien que ie fais ce que ie ne doy faire,
Ie ſçai bien que ie ſui de trop folles amours:
Mais quoy? puis que le ciel delibere au contraire?

Ne me ſui point, Belleau, allant à la maiſon
De celle, qui me tient en douleur nompareille,
E ne ſçais-tu pas bien ce que dit la Corneille
A Mopſe, qui ſuiuoit la trace de Iaſon?
Profete, dit loiſeau, tu n'as point de raiſon
De ſuiure cet amant qui de voir s'apareille
Sa Dame, en autre part va ſuyle, & le conſeille
Mais ore de le ſuiure il n'eſt pas la ſaiſon.

Pour ton profit Belleau, ie ne vueil que tu voye,
Celle qui par les yeus, la plaie au coeur m'enuoye,
De peur que tu ne prigne vn mal au mien pareil.
　Il suffist que sans toi, ie-sois seul miserable:
Reste sain ie te pri, pour estre secourable
A ma douleur extréme, & m'y donner conseil.

Si i'auois vn hayneus qui me voulust la mort,
Pour me venger de luy, ie ne voudrois lui faire,
Que regarder les yeus de ma douce contraire
Qui si fiers contre moi, me font si dur effort.
　Ceste punition, tant son regard est fort,
Luy seroit peine extréme, & se voudroit deffaire:
Ne lit, ne pain, ne vin ne lui sauroient complaire,
Et sans plus au trespas seroit son reconfort.
　Tout cela que lon dit d'une Meduse antique,
Au prix d'elle, n'est rien que fable poëtique:
Meduse seulement tournoit l homme en rocher,

n-eaue en-
tourner en
& en eau.

　Mais cette-cy en-roche, en-glace en-eaue, en-fo-
Ceus qui oẑët sans peur de ses yeus approcher: (üe
Et si en les tuant, vous diriez qu'el' se ioüe

Amour se vint cacher dans les yeus de Cassädre
Cöme vn Tan, qui les bœufs fait mouscher par les
Puis il choisit vn trait sur to° ceus du carquois (bois,
Qui, piquät sçait le mieus dedäs les coeurs descë-
　　　　　　　　　　　　　　　　　　　(dre.

Il élongna ſes mains, & feit ſon arc eſtendre
En croiſſát, qui ſe courbe au premiers iours du mois,
Puis me laſcha le trait, contre qui le harnois
D'Achille, ni d'Hector ne ſe pourroit defendre.

Apres qu'il m'eut bleſſé, en riant ſ'en volla,
Et par l'air, mon eſprit auec lui ſ'en alla,
Mais toutesfois au coeur me demoura la playe,

Laquelle, pour neant cent fois le iour i'eſſaye
De la vouloir garir, mais tel eſt ſon efort
Que ie voy bien qu'il faut que maugré moi ie l'aye
Et que pour la garir, le remede eſt la mort.

Dame, ie meurs pour vo°, ie meurs pour vous ma-
Dame, ie meurs pour vo°, et ſi ne vo° en chaut (dame
Ie ſens pour vous, au coeur vn braſier ſi treſchaut,
Que pour ne le ſentir ie veus bien rendre l'ame.

Ce vous ſera pour-tant vn ſcandaleus diffame,
Si vous me meurdriſſés ſans vous faire vn defaut,
E que voulés vous dire? eſſe ainſi comme il faut
Par pitié refroidir, de vôtre amant la flamme?

Non, vous ne me poüés reprocher que ie ſois
Vn effronté menteur, car mon teint, & ma voix
Et mon chef ia griſon vous ſeruent d'aſſeurance,

Et mes yeus trop caués, et mõ coeur plein d'eſmoi.
E que feroi-ie plus! puis que nulle creance
Il ne vous plait donner aus teſmoins de ma foy?
c. ij.

Il ne fera iamais, foit que ie viue en terre
Soit qu'aus enfers ie fois, ou la-haut dans les cieux,
Il ne fera iamais que ie n'aime trop mieux
Que myrthe, ou que laurier la feuille de lierre.

Sus elle cette main qui tout le coeur me ferre,
Traffa premierement de fes doigts gracieus
Les lettres de l'amour que me portoient fes yeus,
Et fon coeur qui me fait vne fi douce guerre.

Iamais fi belle fueille à la riue Cumée
Ne fut par la Sibylle, en lettres imprimée
Pour bailler par écrit aus hommes leur deftin,
Côme ma Dame a paint d'une efpingle poignäte
Mon fort fus le lierre, é Dieu qu'amour eft fin!
Eft il rien qu'en aimant vne Dame n'inuente?

I'aurai toufiours au coeur attachés les rameaus
Du lierrè, où ma Dame oza premier écrire
(Douce ruze d'amour) l'amour qu'el' n'ofoit dire
L'amour d'elle & de moy: la caufe de noz maus:
Sus toi iamais fus toi Orfrayes n'y Corbeaus
Ne fe viennent brancher, iamais ne puiffe nuire
Le fer à tes rameaus, & à toi foit l'empire
Pour iamais dans les bois de tous les arbriffeaus.
Non pour autre raifon (ce croi-ie) que la mienne
Bacchus orné de toi fa perruque Indienne
Que pour recompenfer le bien que tu lui fis,

Quand fus les bords de Die Ariadne laiffée,
Lui feit fçauoir par toi, fes amoureus ennuys
Ecriuant deffus toi f'amour & fa penfée.

Ie mourois de plaifir voyant par ces bocages
Les arbres enlaffes de lierres épars,
Et la lambruche errante en mille & mille pars
Es aubepins fleuris prés des rofes fauuages.
  Ie mourois de plaifir oyant les dous langages
Des Hupes, & Coqus, & des Ramiers rouhars
Sur le haut d'un fouteau bec en bec fretillarts,
Et des Tourtres auffi voyant les mariages:
  Ie mourois de plaifir voyant en ces beaus mois
Sortir de bon matin les Cheureuilz hors des bois,
Et de voir fretiller dans le ciel l'Alouette:
  Ie mourois de plaifir, ou ie meurs de foucy
Ne voyant point les yeus d'une que ie fouhette
Seule, vne heure en mes bras en ce bocage icy.

A pas mornes & lents feulet ie me promene,
Non-challãt de moi-mefme: & quelq̃ part q̃ i'aille
Vn importun penfer me liure la bataille,
Et ma fiere ennemie au deuant me ramene:
  Penfer! vn peu de treue, & permets que ma pene
Se foulage vn petit, & toufiours ne me baille
Argument de pleurer pour vne qui trauaille
                              c. iÿ.

Sans relasche mon cœur, tant elle est inhumaine.
Ou si tu ne le fais, ie te tromperay bien
Ie t'assure ma foy que tu perdras ta place
Bien tost, car ie mouray pour ruiner ton fort:
Puis quand ie seray mort, plus ne sentiray rien,
(Tu m'auras beau pincer) que ta rigueur me face
Ma dame, ni amour: car rien ne sent vn mort.

Pourtant si ta maitresse est vn petit putain,
Tu ne dois pour cela te courrousser contre elle.
Voudrois-tu bien hayr ton ami plus fidelle
Pour estre vn peu iureur, ou trop haut à la main?
Il ne faut prendre ainsi tous pechés à dedain,
Quand la faute en pechant, n'est pas continuelle:
Puis il faut endurer d'une maitresse belle
Qui confesse sa faute, & s'en repent soudain.
Tu me diras qu'honneste & gentille est t'amie,
Et ie te respondrai qu'honneste fut Cynthie
L'amie de Properce en vers ingenieus,
Et si ne laissa pas de faire amour diuerse:
Endure donq, Ami, car tu ne vaus pas mieus
Que Catulle valut, que Tibulle & Properce.

Amour voiant du ciel vn pescheur sur la mer,
Calla son aisle bas sur le bord du nauire,
Puis il dit au pescheur, ie te pri que ie tire

Ton ret, qu'au fond de l'eau le plomb fait abymer.

Vn Daulphin, qui ſauoit le feu qui viẽt d'aimer,
Voiant Amour ſur l'eau, à Tethis le va dire,
Tethys, ſi quelque ſoing vous tient de vôtre empire,
Secoüre-le, ou bien toſt il eſt preſt d'enflammer.

Tethys laiſſa de peur, ſa cauerne profonde,
Hauſſa le chef ſur l'eau, & vit Amour ſur l'onde
Qui peſchoit à l'eſcart: las, dit el, mon nepueu

Ouſtés-vous, ne brulés mes ondes ie vous prie:
N'aiés peur, dit Amour, car ie n'ay plus de feu,
Tout le feu que i auois, eſt aus yeus de Marie.

Calliſte mon amy, ie croi que ie me meurs,
Ie ſens de trop aimer la fieure continue,
Qui de chaud, qui de froid iamais ne diminue,
Ainçois de pis en pis rengrege mes douleurs:

Plus ie vueil refroidir mes bouillantes chaleurs,
Plus Amour les ralume, & plus ie m'eſuertüe
De rechaufer mon froid, plus la froideur me tüe,
Pour languir au meilleu de deux diuers malheurs.

Vn ardent apetit de ioüir de l'aimée
Tient tellement mon ame en penſers alumée,
Et ces penſers douteus me font réuer ſi fort,

Que diette, ne iuſt, ni ſection de vene
Ne me ſauroient garir, car de la ſeule mort
Depend, & non d'ailleurs, le ſecours de ma pene.

Ie veus lire en trois iours l'*Iliade* d'*Homere*
Et pour-ce, *Corydon*, ferme bien l'huis ſur moi:
Si rien me vient troubler, ie t'aſſeure ma foi
Tu ſentiras combien peſante eſt ma colere.

Ie ne veus ſeulement que nôtre chambriere
Vienne faire mon lit, ou m'apreſte de quoi
Ie menge, car ie veus demeurer à requoi
Trois iours, pour faire apres vn an de bonne chere.

Mais ſi quel-cun venoit de la part de *Caſſãdre*
Ouure lui toſt la porte, & ne le fais attendre:
Soudain entre en ma chãbre, & me vien acouſtrer,

Ie veux tan-ſeulement à lui ſeul me monſtrer:
Au reſte, ſi vn *Dieu* vouloit pour moi deſcendre
Du ciel, ferme la porte, & ne le laiſſe entrer.

I'ai l'ame pour vn lit de regrets ſi touchée
Que nul, & fuſſe vn *Roy*, ne fera que i'aprouche
Iamais de la maiſon, encor moins de la couche
Où ie vy ma maitreſſe, au mois de *May* couchée,

Vn ſomme languiſſant la tenoit mi-panchée
Deſſus le coude droit, fermant ſa belle bouche,
Et ſes yeus, dans leſquels l'archer amour ſe couche
Ayant touſiours la fleche en la corde encochée.

Sa teſte en ce beau mois, ſans plus, eſtoit couuerte
D'un riche eſcofion ouuré de ſoie verte
Où les *Graces* venoient, à l'enuy ſe nicher,

Et dedans ſes cheueus choyſiſſoient leur demeure.
I'en ai tel ſouuenir que ie voudrois qu'a l'heure
(Pour iamais n'y pēſer) ſon oeil m'euſt fait rocher.

    Douce, belle, gentille, & bien fleurente Roſe,
Que tu es à bon droit à Venus conſacrée,
Ta delicate odeur hommes & dieux recrée,
Et bref, Roſe, tu es belle ſur toute choſe.

    La Grace pour ſon chef vn chapellet compoſe
De ta feuille, & touſiours ſa gorge en eſt parée,
Et mille fois le iour la gaye Cytherée
De ton eau, pour ſon fard, ſa belle ioüe aroſe.

    He Dieu que ie ſuis aiſe alors que ie te voi
Eſclorre au point du iour ſur l'eſpine à requoy,
Dedans quelque iardin pres d'un bois ſolitere!

    De toi les nymphes ont les coudes & le ſein:
De toi l'Aurore emprunte & ſa ioüe, & ſa main,
Et ſon teint, celle-là qui d'amour eſt la mere.

Sonet en dialogue.

R. *Que dis-tu, que fais-tu, penſiue Tourterelle*
Deſus ceſt arbre ſec? T. *Helas ie me lamente.*
R. *Et pourquoi di-le-moi?* T. *De ma cōpagne abſēte*
Plus chere que ma vie. R. *En quelle part eſt elle?*
  R. *Vn cruel oyſelleur par glueuſe cautelle*
La priſe, & l'a tuée: & nuit & iour ie chante
Sō treſpas dās ces bois, nommant la mort méchante

Qu'elle ne m'a tuée aueques ma fidelle.

  R. Voudrois-tu bië mourir aueques ta cõpaigne.
  T. Oüi, car aussi-bien ie languis de douleur
Et tousiours le regret de sa mort m'acompaigne.
  R. O gentils oyselets que vous estes heureus
D'aimer si constemment, qu heureus est vôtre coeur
Qui sans point varier est tousiours amoureus.

  Le sang fut bien maudit de ceste horrible face
Qui premier engendra les serpens venimeus:
Helene! tu deuois quand tu marchas sus eus
Non sans plus les arner, mais en perdre la race.
  Nous estions l'autre iour dans vne verte place
Cuillants m'amie & moi les fraiziers sauoureux,
Vn pot de cresme estoit au meillieu de nous deux,
Et sur le ionc du laict treluisant comme glace.
  Quand vn villain serpët de venin tout couuert,
Par ne sçai quel maleur sortit d'un buisson vert
Contre le pied de celle à qui ie fais seruice,
  Pour la blesser à mort de son venin infect:
Et lors ie m'écriay, pensant qu'il nous eut faict
Moi, vn second Orphée, & elle, vne Eurydice.

Traduction du Sonnet precedent par
Ian d'Aurat. Choriambici Alcaïci.

O Quàm teter erat monſtrificæ ſanguis imaginis,
  Primus letiferos qui peperit reptilium greges!
  Hos calcans, Helene, debueras non modò frangere
  ſpinam, ſed penitus progeniem perdere perfidam.
Cùm nos forte ſolo colligeremus viridi ſimul
  Nuper, noſtra Caſſandra & cupiens perditè ego illius,
  Suaui fraga ſapore: in medio ſt iret & ollula
  Lactis plena cremore, atque, gelu quod vitrei modo
  lucens lac habuit iunceolæ textile fiſcinæ:
Tunc horrenda veneno grauidi forma rubo exilit
  Anguis, neſcio qua forte mala, qui illius in pedem,
  Cui me dedideram, ſeruitiúmque omne ſimul meum,
  Infeſto ruit acer cupiens lædere aculeo.
Hic mox vociferans e cilio, ſcilicet hoc timens,
  Ne noſtram effigiem forte nouans efficeret fera
  Ex illa Euridycen alteram, at ex me miſerū Orpheum.

Marie, tout ainſi que vous m'auès tourné
Mon ſens, & ma raiſon, par vôtre voix ſubtile,
Ainſi m'auès tourné mon graue premier ſtile
Qui pour chanter ſi bas n'eſtoit point deſtiné:
  Aumoins ſi vous m'auès pour ma perte, donné
Congé de manier vôtre cuiſſe gentile,
Ou, ſi à mes baiſers vous n'eſtiés dificile,
le n'euſſe regretté mon ſtile abandonné.

Las ce qui plus me deut, c'est que vous n'estes pas
Contente de me vouloir ainsi parler si bas
Qui soulois m'éleuer d'une muse hautaine:
 Mais me rëdant à vous, vous me mãquez de foy,
Et si me traités mal, & sans m'outer de peine
Tousiours vous me liés, & triomphés de moi

La Rose, à Guillaume Aubret Poiteuin. Imitation d'Anacreon.

Verson ces Roses prés ce vin,
 Prés de ce vin verson ces Roses,
Et boyuon l'un à l'autre, afin
Qu'au coeur noz tristesses encloses,
Prennent en boyuant quelque fin.

 La belle rose du printans
Aubret, amonneste les hommes,
Passer ioyeusement le tans.
Et pendant que ieunes nous sommes
Esbatre la fleur de noz ans.

 Car ainsi qu'elle defleurist
A bas en vne matinée,
Ainssi nôtre age se flestrist
Las! & en moins d'une iournée

Le printans d'un homme perist

Ne vei-tu pas hyer Brinon
Parlant, & faisant bonne chere,
Lequel au iourd'huy n'est, sinon
Qu'un peu de poudre en vne biere
Qui de lui n'a rien que le nom?

Nul ne derobe son trespas,
Charon serre tout en sa nasse,
Rois & pauures tombent là bas:
Mais ce pendant le tems se passe
Rose, & ie ne te chante pas

La Rose est l'honeur d'un pourpris,
La Rose est des fleurs la plus belle,
Et de sur toutes ha le pris,
C'est pour celà que ie l'apelle
La violette de Cypris.

La Rose est le bouquet d'Amour,
La Rose est le ieu des Charites,
La Rose est pleine tout au tour
Au matin, de perles eslites
Qu'elle emprunte du point du iour.

La Rose est le parfun des Dieux,

La Rose est l'honneur des pucelles.
Qui leur sein beaucoup aiment mieux
Enrichir de Roses nouuelles
Que d'un or tant soit precieux.

Est il rien sans elle de beau!
La Rose embelist toutes choses,
Venus de Roses a la peau,
Et l'Aurore a les doigz de Roses
Et le front le Soleil nouueau.

Les Nimphes de Rose ont le sein,
Les coudes, les flancs, & les hanches,
Hebé de Roses à la main,
Et les Charites tant soient blanches
Ont le front de Roses tout plain.

On dit que Bacus la planta
Quand elle deuint cramoisie
Du beau sang qui l'ansanglanta,
Et qu'en nouueau don à s'amie
Ariadne la presenta.

Et, que lui pris de la beauté
De ses belles fueilles vermeilles,
Sans elles n'a iamais esté,
Quand en chemise, sous les trailles
Il boit au plus chaud de l'Esté.

❦ Imitation d'Anacreon.

L'*Vn dit la prise des murailles*
De Thebe, & l'autre les batailles
De Troye, mais i'ay entrepris
De dire comme ie fus pris:
Ny Nef, Pieton, ny Cheualier
Ne m'ont point rendu prisonnier.
Qui donc a perdu ma franchise?
Vn nouueau scadron furieus
D'amoureaux, armé des beaux yeus
De ma Dame, a causé ma prise.

❧ Du Grec de d'Aurat.

C*Elui qui veut sçauoir*
Combien de feu i'endure
Dans le cœur, pour auoir
Vne maitresse dure.

Contemple de mon cors
La peau toute halée,
Sans couleur par dehors
Comme cendre brulée.

Et, m'aiant ainsi veu

Mon feu pourra comprendre
Car la grandeur d'un feu
Se cognoiſt à la cendre.

❧ Vers de neuf à dix ſyllabes, Imitatiõ de Bion Poëte Grec.

CHere veſper, lumiere dorée
De la belle Venus Cytherée,
Veſper, dont la belle clarté luit.
Autant ſur les aſtres de la nuit
Que reluiſt par de ſur toi la Lune:
O clair image de la nuit brune,
En lieu du beau Croiſſant , tout ce ſoir
Donne lumiere, & te laiſſe choir
Bien tard en la marine ſource.

Ie ne veus larron ouſter la bourſe
A quelque amant,ou comme vn meſchant
Volleur,deualizer vn marchant:
Ie veus aller outre la riuiere
Voir m'amie:mais ſans ta lumiere
Ie ne puis mon voiage acheuer,
Pour-ce,haſte toi de te leuer
Et de ta belle nuitale flamme
Eclaire au feu d'amour qui m'enflame.

🙥 Imitation d'Anacreon.

IE ſuis homme né pour mourir,
Ie ſuis bien ſeur que du treſpas
Ie ne me ſaurois ſecourir
Que pondre ie n'aille là bas.

Ie cognois bien les ans que i'ay,
Mais ceus qui me doiuent venir
Bons ou mauuais, ie ne les ſçai,
Ny quand mon age doit finir.

Pour-ce, fuiés vous-en eſmoi,
Qui rongés mon coeur a-tous cous,
Fuiés vous-en bien loing de moi
Ie n'ai que faire auecques vous.

Aumoins auant que treſpaſſer
Que ie puiſſe à mon aize vn iour,
Ioüer, ſauter, rire, & dancer,
Auecque Bacus, & Amour.

🙥 Ode à Remy Belleau.

BElleau, ſ'il eſt loiſible aus nouueaus d'inuēter
Celà, que les plus vieus n'ont pas oſé chanter,

d. i.

Ie dirois voluntiers que l'amour n'a point d'aisles,
Las! car s'il en auoit s'ebranlant deſſus elles
De mon cœur quelquesfois ſe pourroit abſenter.

Il n'a point d'arc auſſi, & le feint-on rüer
Des fleches à grand tort: il a voulu müer
Son arc en Harquebouze, on le ſent à l'épreuue:
Car pour le coup d'un trait ſi grãd feu ne ſe treuue
Autour du cœur bleſſé, qu'il le puiſſe tüer

Comme le feu d'un plomb: ou bien ſi le trait peut
Engendrer quelque feu, ſi eſſe qu'il n'emeut
Au dedans de la playe vne ſi grande flame
Qui puiſſe d'une ardeur hors du cors chaſſer l'ame
Qui moins d'ũ coup de trait q̃ d'un plõbet ſe deut.

Dõques, ou ie me trõpe, ou l'amour n'eſt archer,
Il eſt harquebouzier: & qui voudra chercher
Cõme il tire, aille voir les beaus yeus de Caſſandre,
Tout ſoudain, de cent pas il lui fera comprendre
Si d'un plõb ou d'un trait les cœurs il veut toucher.

Il fait de ſes beaus yeus ſon plombet enflammé,
Sa pouldre de ſa grace, & en ce point armé,
Il ſort à la campaigne à l'entour de ſa bouche,
Dans ſes cheueux friſez il dreſſe l'eſcarmouche,
Et de ſon ſein il fait ſon rempart enfermé.

Ode à Nicolas Denizot du Mans.

Cinq iours font ia paſſés, Denizot mon amy,
Que Caſſandre malade en repos n'a dormy:
Tu ſçais combien ſon mal de douleur me côſomme,
Allon dedans les pretz que ta Sarte, & mon Loir
Baignent, & ſ'il te plait faiſon noſtre deuoir
De cuillir des pauotz, qui ſont ſacrez au Somme.

Ha mô Dieu q̃ ĩ ẽ vòy, ces pretz en ſont to° plaĩs,
Chargeõ-en noſtre ſein, noz mâches, et noz mains,
Nous-en auons aſſez: aporte du Lyerre,
Puis de gazons herbus maçonne vn autel vert,
Et l'entournant ſept fois, ayant le chef couuert
Dy ces motz aprés moi, regardant contre terre,

Somme fils de la Nuit, & de Lethe oublieux,
Pere, Alme, nourriſſier des hommes & des Dieux,
De qui l'aiſle en volant eſpend vne gelée
Sur l'humide cerueau, & bien qu'il fuſt remply
D'Amour ou de procés, tu l'aſſoupis d'oubly,
Et charmes pour vn tems ſa triſteſſe ſillée.

Tu enſerres les yeus de tous les animaus
D'un lien fait d'airain: de ceus-là qui des eaus
Douces, & de la mer coupent l'humide voye,

d. ij.

Et de ceus empennés apris à bien voler,
Et de ceus-là qu'on laiſſe en paſturage aller,
Et de ceus qui aus bois ſe nourriſſent de proye.

Sans ton ſecours mouroit tout ce grãd mõde icy:
C'eſt pour-ce qu'on t'apelle, Alme, dely-ſoucy,
Donne-vie, Ouſte-ſoin: ceſt toi qui amonneſte'
De cõtempler la mort, quãd tu nous viens toucher
Du bout de ton pauot les yeus, pour les boucher,
Et quand d'un flot Lethé tu nous baignes la teſte.

Tu es du vueil des Dieux Prophete & meſſager:
C'eſt toi qui en dormant à l'homme fais ſonger
Son ſort bon ou mauuais, & ſi nous eſtions ſages,
Sages non ſeulement, mais auſſi gens de bien,
Rien ne nous auiendroit que nous ne ſceuſſions biẽ
Lon tems deuant le fait, inſtruits de tes préſages.

O Somme, ô grãd Daimon, ô l'utille repos
De tout ame qui vit: pren à gré ces pauots
Cet ancens, cette manne, & vien deſous ton aiſle
Couuer vn peu les yeus, les temples, & le front
De Caſſandre malade, & d'un ſommeil profond,
Toutesfois reueillable, alege le mal d'elle.

C'eſt aſſez, Denizot, exſaucé ie me ſens,
Le feu de ſon bon gré a pris dedans l'encens,

Et ne ſçai quel Daimon ha la manne lechée:
Retournon au logis, le coeur me bat d'eſpoir,
Et prophette me dit, que nous la pourrons voir
Si non du tout garie, au moins bien allegée.

Traduction de quelque Epigram-
mes Grecs, ſur la Ieniſſe d'aerain
de Myron excellentemét
bien grauée.

A FRANSOIS DE REVERGAT.

P*Aſteur, il ne faut que tu viennes*
    Amener tes vaches icy.
De peur qu'au ſoir auec les tiennes
Tu ne renmenes cette-cy.

Autre.

Ie n'ay de vache la figure,
Mais Myron m'atachant me mit
De ſur ce pilier, par dépit
Que i'auois mangé ſa paſture.

Autre.

Ie ſuis la vache de Myron
Bouuier, & non pas feinte image,
Pique mes flancs d'un aiguillon,
Et me menes en labourage.

d. iij.

Autre.

Pourquoy,Myron,m'as tu fait ſtable
Sur ce pilier,ne veus-tu pas
Me deſcendre, & me mener là bas
Auec les autres en l'eſtable?

Autre.

Si vn veau m'auiſe,il crira,
Si vn toreau,il m'aimera:
Et ſi c'eſt vn paſteur champeſtre
Aus chams me voudra mener paiſtre.

Autre.

Bien que ſur ce pilier ie ſois
Par Myron en airain pourtraite,
Comme les bœufs ie mugirois
S'il m'auoit vne langue faite.

Autre.

Vn Tan en voyant la figure
De cette vache fut moqué,
Ie n'ay iamais(dit il) piqué,
Vache qui euſt la peau ſi dure.

Autre.

Icy Myron me tient ſerrée,
Sur moi frapent les paſtoureaux
Cuidans que ie ſois demeurée
Apres le reſte des Toreaux.

Autre.

Veau, pourquoi viens tu seulet
Soubs mon ventre pour teter?
L'art ne m'a voulu prester
Dans les mammelles du lait.

Autre.

Pourquoi esse que tu m'enserres
Myron, sur ce pilier taillé,
Si tu m'eusses vn iong baillé
Ie t'eusse labouré tes terres,

Autre.

Pourueu qu'on ne mette la main
Sur mon cuir, quoy qu'on me regarde
De pres, ou de loin, on n'a garde
De dire que ie sois d'aerain.

Autre.

Vn pasteur m'auoit oubliée,
Dans les pretz de Myrõ l'authrier,
Qui par vengeance m'a liée
Des quatre pieds sur ce pilier.

Autre.

Si Myron mes pieds ne detache,
Dessus ce pilier ie mouray,
S'il les detache, ie couray
Par les fleurs comme vne autre vache.

❧GAYETE.

A Qui donnai-ie ces sornettes,
Et ces mignardes chansonnettes?
A toy mon Ianot, car tousiours
Tu as fait cas de mes amours,
Et as estimé quelque chose
Les vers raillars que ie compose:
Aussi ie n'ay point de mignon,
Ny de plus aymé compagnon,
Que toy mon petit oeil, que i'ayme
Autant ou plus que mon cœur mesme,
Attendu que tu m'aimes mieux,
Ny que ton cœur, ny que tes yeux.
Pour-ce mon Ianot, ie te liure
Ce qui est de gay dans ce liure,
Ce qui est de mignardelet
Dedans ce liure nouuelet.

Liure que les Sœurs Thespiennes,
Dessus les riues Pympléennes,
Raui, me firent conçeuoir,
Quand ieune garson, i'allay voir
Le brisement de leur cadance,
Et Apollon le guide-dance.

Pren-le donc, Ianot, tel qu'il est,
Il me plaira beaucoup s'il plaist

A ta Muse Greque-latine,
Compagne de la Rodatine:
Et soys fauteur de son renom,
De nostre amour, & de mon nom:
Afin que toy, moy, & mon liure,
Plus d'un siecle puißions reuiure.

GAYETE.

AV vieil tems que l'enfant de Rhée
N'auoit la terre dedorée,
Les grands Herôs ne dedaignoient
Les chiens qui les acompagnoient,
Fidelles gardes de leur trace:
Mais toy chien de mechante race,
En lieu d'estre bon gardien
Du trac de m'amie & du mien,
Tu as comblé moy, & m'amie
De deshonneur, & d'infamie:
Car toy par ne sçay quel destin,
Desloyal & traistre mastin,
Iappant à la porte fermée
De la chambre, où ma mieux aimee
Me dorlotoit entre les dras
Flanc de sur flanc & bras à bras:
Tu donnas soupçon aux voisines,

Aux sœurs, aux freres, aux cousines
T'oyans pleindre à l'huys lentement
Sans entrer, que segretement
Tout seul ie faisoy la chosette
Auecque elle dans sa couchette,

Et si bien le bruict de cela,
Courut par le bourg çà & là,
Qu'au raport de telle nouuelle
Sa vieille mere trop cruelle,
Bruslante d'un ardent courrous
Sa fille diffama de cous,
Lui escriuant de vergelettes
L'yuoire de ses cotelettes.

Ainsi traistre, ton aboyer,
Traistre, m'a rendu le loyer
De t'aimer plus cher qu'une mere
N'aime sa fille la plus chere:

Si tu ne m'eusses esté tel
Ie t'eusse fait chien immortel,

Et t'eusse mis parmy les signes
Entre les astres plus insignes,
Compagnon du chien d'Orion,
Ou de celui, qui le Lion
Aboye, quand la vierge Astrée
Se voit du soleil rencontrée.

Car certes ton corps n'est pas laid,

Et ta peau plus blanche que lait
De mille frisons houpelüe,
Et ta basse oreille velüe,
Ton nez camard, & tes gros yeux
Meritoient bien de luire aux cieux:
Mais en lieu d'une gloire telle
Vne demaugeante gratelle,
Vne fourmilliere de pous,
Vn camp de puces, & de loups,
La rage, le farcin, la taigne,
Vn dogue afamé de Bretaigne,
Iusque aux oz te puissent manger
Sur quelque fumier estranger,
Mechant mastin, pour loyer d'estre
Si traistre à ton fidelle maistre.

GAYETE.

Nfant de quatre ans, combien
Ta petitesse â de bien,
Combien en à ton enfance,
Si elle auoit cognoissance
De l'heur que ie dois auoir,
Et qu'elle â sans le sçauoir!
Mais quand la douce blandice
De ta raillarde nourrice,
Des le point du iour te dit,
E quoy, vous couchez au lit,

De Iane, honteux à l'heure,
Mignon, ton petit œil pleure,
Et te cachant dans les dras,
Ou petillant de tes bras,
Depit, tu gimbes contre elle.
Et luy dis, memàm, ma belle,
Mon gateau, mon sucre doux,
Et pourquoy me dictes vous
Que ie couche aueq Ianette.

  Puis el' te baille sa tette,
Et t'apaisant d'un ioüet,
D'une clef, ou d'un roüet,
De poix, ou de piroüettes,
Essuye tes larmelettes.
Ha pauuret, tu ne sçay pas,
Celle qui dedans ses bras
Toute nuict te poupeline!
C'est mignon, ceste maline
Las mignon, c'est ceste là
Qui de ses yeux me brula.

  Que pleust a Dieu, que ie pusse
Pour vn soir deuenir puce,
Ou que les ars Medeans
Eussent raieuni mes ans,
Ou cõnuerty ma ieunesse
En ta peu caute simplesse

Me faiſant ſemblable à toy,
Sans ſoupçon ie coucheroy,
Entre tes bras, ma cruelle,
Entre tes bras, ma rebelle.
Or' te baiſant tes beaux yeux,
Or' ton ſein delicieux,
D'où les amours qui me tuent
Dix mille fleches me ruent.

   Lors certes ie ne voudroy
Eſtre faict vn nouueau roy
Pour ainſi laiſſer m'amie
Toute ſeulette endormie:
Et peut eſtre qu'au reueil,
Ou quand plus le doux ſommeil
Luy enfleroit la mamelle,
Qu'en gliſſant plat deſſus elle,
Ie luy feroy ſi grand bien,
Qu'elle aprés quitteroit bien
Toy, ſes freres, & ſon pere,
Qui plus eſt, ſa douce mere
Pour me ſuiure à l'abandon
Comme Venus ſon Adon
Suiuoit par toute contrée,
Fuſt que la nuit acouſtrée
D'aſtres, tumbaſt dans les eaux,
Fuſt que les flammeaux naſeaux

Souflaſſent d'une alenée
Hors des eaux la matinée.

⚜ GAYETE.

Aſſez vrayment on ne reuere
Les diuines bourdes d'Homere,
Qui dit, que l'on ne peut auoir
Si grand plaiſir que de ſe voir
Entre ſes amis à la table,
Quand vn menétrier delectable
Paiſt l'oreille d'une chanſon,
Et quand l'outeſoif échanſon
Fait aller en rond par la troupe,
De main en main la pleine coupe.

Ie te ſalüe heureux boyueur,
Des meilleurs le meilleur reueur,
Ie te ſalüe eſprit d'Homere,
Tes vers cachent quelque myſtere.
Il me plaiſt de voir ſi ce vin
M'ouurira leur ſegret diuin.

Iö ie l'entens, chere troupe,
La ſeule odeur de ceſte coupe
M'a fait vn Rhapſode gaillard
Pour bien entendre ce Vieillard.

Tu voulois dire bon Homere

Que l'on doit faire bone chere
Tandis que l'âge, & la saison,
Et la peu maitresse raison,
Permetent à nostre ieunesse
Les libertés de la liesse,
Sans auoir soin du lendemain:
 Mais d'un hanap de main en main,
D'une trepignante cadance,
D'un roüer autour de la dance,
De meutes de chiens par les boys,
De lutz mariez à la vois
D'un flus, d'un dé, d'une premiere,
D'une belle fleur printaniere,
D'une pucelle de quinze ans,
Et de mille autres ieux plaisans
Donner plaisir à nostre vie
Qui bien tost nous sera rauie.
 Moy donques oysif maintenant
Que la froidure est detenant
D'une clere bride glacée
L'humeur des fleuues amassée:
Ore que les vents outrageus
Demenent vn bruit orageus,
Ores que les douces gorgettes
Des Dauliennes sont muettes,
Ores qu'au soir on ne voit plus

Dancer par les antres reclus
Les Pans auecques les Dryades,
Ny ſur les riues les Naiades.
　Que feroi-ie en telle ſaiſon,
Sinon oyſeaux à la maiſon,
Enſuiuant l'oracle d'Homere
Pres du feu faire bonne chere?
Et ſouuent baigner mon cerueau
Dans la liqueur d'un vin nouueau,
Qui touſiours traine pour cõpaigne
Ou la routie, ou la chaſtaigne.
　En ceſte grande coupe d'or
Verſe, Page, & reuerſe encor,
Il me plaiſt de noyer ma peine
Au fond de ceſte taſſe pleine,
Et d'étrangler aueq le vin
Mon ſoucy qui n'a point de fin,
Non plus que l'ãtraille immortelle,
Que l'aigle horriblement bourrelle,
Tãt les attraits d'un oeil vainqueur
Le font renaiſtre dans mon cœur.
Ca page donne ce Catulle,
Donne ce Tibulle, & Marulle,
Donne ma lyre, & mon archet,
Depen-là toſt de ſe crochet,
Viſte doncq, afin que ie chante,

Affin que par mes vers i'enchante,
Ce soing, que l'amour trop cruel
Fait mon hoste perpetuel.

O Pere, ô Bacchus, ie te prie,
Que ta sainte fureur me lie
Dessoubz ton Thyrse, a celle fin
O Pere, que i'erre sans fin
Par tes montaignes reculées,
Et par l'horreur de tes vallées.

Ce n'est pas moy, las! ce n'est pas
Qui dedaigne suiure tes pas
Et couuert de lierre, brére
Par la Thrace Euan, pourueu Pere
Las! pourueu Pere, las! pourueu
Que ta flamme esteigne le feu
Qu'amour, de ses rouges tenailles
Me tournasse dans les antrailles.

e. i.

L'HEVRE PAR
REMI BELLEAV,
à P. de Ronfard.

Ieu te gard Fille heritiere
De ce Faucheur orguilleux,
Et la fidelle portiere
De l'olympe fourcilleux,
Qui retiens fous la cadance
De tes pas, la violance
De ce grand Tour merueilleux.

Dieu te gard gente Déeſſe
Au pié lentement gliſſant,
O qu'heureuſe eſt ta pareſſe,
Qui ne va point finiſſant!
O Dieu qu'heureuſe eſt ta fuitte,
Au regard de l'entreſuitte,
De nôtre âge periſſant!

Bien que tu ſois pareſſeuſe
La plus qui ſoit dans les cieux,
Lon te tient la plus heureuſe,
Qui ſoit entre tous les Dieux:
Car tu n'es iamais ſugette

Faire ainſi qu'une planette,
Vn grand tour laborieux.

O que ta courçe eſt fuittiue
Que le tems n'atrappe pas,
Mais à l'homme trop hatiue
Pour lui donner le treſpas,
Qui ſoudain le mets au monde,
Puis ſoudain dans la noire onde,
Le fais ombre de la bas.

Toute la force, & la grace
Du ciel, ſe remire en toi,
Et la violente audace
Du tems, ne giſt qu'en ta foi,
Qui te rend obaiſſance,
Pour cacher ſon inconſtance,
Sous la rigueur de ta loi.

C'eſt ton vol lent qui raporte
Sur ſes ælles le bon heur
Du ciel, c'eſt lui qui rend morte
Peu a peu nôtre douleur,
Nous contentant d'aſſeurance,
Ou repaiſſant d'eſperance,
Pour franchir nôtre malheur.

e. ij.

Toute la trouppe admirable
Des feux brillans dans les cieux,
Point ou peu se rend traitable,
Et familiere a noz yeux
Comme toi, qui nous ordonnes
Tout en tout, & qui nous donnes
Noſtre pis & noſtre mieux.

Comme toi, qui aux clotures
D'un iuoire, ou dun criſtal,
Tranches les iours par meſures,
Sous vn mouuement egal,
Tant fut l'ame curieuſe!
Et la main ingenieuſe
Pour animer vn metal.

Comme toi, qui du bocage,
Retires le Bucheron,
Le Paſteur, du paſturage,
Des vignes, le Vigneron,
Le Peintre, de la peinture
L'Ecriueur, de l'ecriture
Des forges, le Forgeron.

Comme toi, qui touſiours veilles
Proche du lit de Ronſard,
Et ſans ceſſe le reueilles,

Affin que d'un nouuel art,
Et d'une nouuelle adresse,
Il flechisse la rudesse
De sa Cassandre qui l'ard.

Sois-lui donques fauorable
Lente Deesse au pieds moux,
Ren-lui Cassandre traitable:
,, *Amour fauorise à tous,*
,, *Pourueu qu'on le puisse prendre*
,, *Sus l'heure, qu'il veut entendre,*
,, *A nous rire d'un oeil dous.*

Retien la courçe amoureuse
De son âge dous-coulant,
De ta main industrieuse,
Qui au cheual pié-uolant
Donne le frain, & le donte,
Quand dispos le Soleil monte
Dans son char estincellant.

Mais pendant que ie te chante
Ie grisonne, & pers la voix,
Et toi mille fois mourante,
Tu renais autant de fois,
Sans qu'en la mort tu seiournes,

Car en mourant tu retournes,
Et sans retour ie m'en-vois.

LA CERISE DE REMI
BELLEAV DV PERCHE,
A P. de Ronsard.

EST à vous de chanter les fleurs,
Les bourgeons, & les espiz meurs,
Le beau gazouillis des fontaines,
Et le bigarement des plaines,
Qui estes les plus fauoris
D'Apollon & le mieux apris:
Quant à moi rien plus ie n'atente
Sinon chanter l'honneur de l'ente
De la Cerise, & son beau teint
Dont celuy de m'amye est teint.

Sus donc Déesses iardinieres,
Nymphes fruitieres, cerisieres,
Sus donc, des vers soupirés moi
Pour la vanter comme ie doi.

Rien ne se trouue plus semblable
Au cours de la Lune muable,
Rien plus n'imite son labeur
Que ce fruit, auant qui soit meur.

Tantost pâlle, tantost vermeille,
Tantost vers la terre sommeille,
Tantost au ciel leue son cours,
Tantost vieillist en son decours.
Quand le soleil mouille sa tresse
Dans l Ocean, elle se dresse,
Le iour la nuit egallement
Ell' prend teinture en vn moment.

   Ainsi ce dous fruit prend naissance
Prend sa rondeur, prend sa croissance
Prend le beau vermillon qui teint
La couleur palle de son teint.

   O sage & gentille nature
Qui contrains dessous la clôture
Dune tant delicate peau
Vne gelée, vne douce eau
Vne eau confitte, vne eau sucrée,
Vne glere si bien serrée
De petis rameux entrelas!
Qu'à bon droit l'on ne diroit pas
Que la nature bien aprise,
N'eust beaucoup plus en la Cerise
Pris de plaisir, qu'en autre fruit
Que de sa grace nous produit.

   A t'elle pas en sauuegarde
De son espece, mis en garde

Le noyau dans vn osselet,
Dedans vn Vase rondelet
Clos, serré dans vne voutûre
Faitte en si iuste architecture
Que rien ne semble imiter mieux
Ce grand Tour surpandu des cieux?
　　Les autres fruicts en leur semence
Retiennent vne mesme essence,
Mesme iust, & mesme couleur
Mesme bourgeon, & mesme fleur:
Mais la Cerise verdelette
Palle, vermeille, rondelette
La Cerise, & le cerisier,
La merise & le merisier,
(Que i'aime autant, qu'aime ma Dame
Le soing qu'elle donne à mon ame,
Que la rose aime le matin,
Et la pucelle son tetin)
Est en liqueur plus differente
Que la marine en sa tourmente
En son teinct plus que l'arc au ciel,
En douceur plus que le rous miel.
　　L'une est pour adoucir doucette,
L'autre pour enaigrir aigrette,
Seche-freche pour moderer,
Aigre-douce pour temperer,

L'aigreur & la douceur enſemble
Du fieureux alteré qui tremble.
Bref elle a mille alegemens
A mille dangereus tourmens.

Ou ſoit que meure ſur la branche
En ſon courail elle ſe panche,
Ou ſoit qu'en l'arriere ſaiſon
Cuitte ſe garde en la maiſon,
Ou bien confitte, elle recrée
L'eſtommac d'une humeur ſucrée,
Donnant au Sein contentement
Et au Malade allegement.

Mon Dieu mõ Dieu quel plaiſir eſſe
Accompaigné de ſa maitreſſe
Librement à l'ombre ſe voir
D'un Ceriſier, & de ſaſſeoir
Deſſus l'herbe encore blondiſſante
D'une perlette rouſoiante!
Et de main forte rabaiſſer
Vne branche pour lui laiſſer
Cuillir de ſa leuure tendrette
La Ceriſe encor verdelette!

Puis apres de la meſme main
Doucement decouurir ſon ſein
Pour baiſer la ſienne iumelle
De ſa ronde & blanche mamelle

Puis lui dire en la baisottant
La careſſant, la mignottant,
Cachés voſtre beau ſein mignonne,
Cachés cachés, las! il m'étonne
Ia me faiſant mort deuenir,
Par l'outrage d'un ſouuenir
Que i'ai de ce marbre qui tremble
De cette ceriſe, qui ſemble
Rougir ſur vn mont iumelet
Fait de deux demi-rons de lait,
Par qui ma liberté rauie
Dedaigne maintenant la vie,
Par qui ie ceſſe de ſonner
Celle que ie te veus donner
Mon Ronſard, or' que redeuable
Ie te ſois, ſi ſui-ie excuſable
Par vne extréme affeċtion
D'auoir changé de paſſion :
Mais en meilleure ſouuenance
Ne pouuoit tomber ma cadance
Pour adoucir le contre-ſon
De ma rude & longue chanſon.
Si l'auras-tu: mais ie t'aſſeure
Qu'el' n'eſt pas encor aſſés meure,
El' ſent encores la verdeur,
N'aiant ny le teint, ny l'odeur:

Mais pour tromper la pouriture
S'il se plaiſt, par la confiture,
De ton ſaint miel Hymettien,
De ton criſtal Pegaſien
Qui ſort de ta bouche ſacrée,
Tu la rendras toute ſucrée:
Affin que par toi meuriſſant
On ne la trouue pouriſſant.

Si tu le fais, ie n'ai pas crainte
Ny des frimas, ny de l'atteinte
Des coups d'un orage greſleux,
Ny du Ronge-tout orguilleux,
Ny d'une mordante gelée,
Ny de la gourmande volée
D'un noir eſcadron d'étourneaux,
Ny du bec des petis moineaux.

Tellè qu'elle eſt, ie te la donne
D'auſſi bon cœur, que ta mignonne
T'en â pluſieurs fois enuoié
Pour ton eſtomac deuoié
D'eſtre courbé deſſus le liure,
Pour la faire à iamais reuiure.

LE CIRON DE G. AVBERT,
A P. DE RONSARD, ET
A R. BELLEAV.

Es vers ne font affés tonnans
Pour les gros frellons bourdonnans,
Ny mes Rimes affés bruyantes
Pour les grenouilles gazouillantes,
Trop humble feroit ma chanfon
Pour le fuperbe limaçon,
Et des fromis la noire bande
Vn guidon plus hardi demande.
A toi, Ronfard, à toi, Belleau,
Ie quitte ce pefant fardeau,
Qui de vos lyres immortelles
Vous egallés aus neuf pucelles:
Quant à moi, contant ie feray
De beaucoup moins, & chanteray
Vn Ciron qui fouuent entame
La peau doüillette de ma Dame.
Ciron ioli, Ciron mignard,
Ciron gay, Ciron fretillart
Qui d'Ebene as la tefte noire,
Et l'eftomac de fin iuoire,
De criftal l'un & l'autre flanc,

Et le reſte d'albaſtre blanc:
O que i'eſtime fortunée
Ta naiſſance, & ta deſtinée!
Ah combien ie ſuis enuieux
De tes plaiſirs delicieux!
  Nous hommes naiſſons d'immõdices,
Et tu ne nais que de delices,
De plaiſir, & de gayeté,
Et de laſciue oiſiueté
Entre les mains mignardelettes
Des tendrelettes pucellettes.
  Comme les yures moucherons
Tu ne loges aux enuirons
D'un muy, & comme les grenouilles
Dans le bourbier tu ne gazouilles,
Et dans les trous ne te nourris,
Comme les rats, & les ſouris:
Ainçois tant que ta vie eſt vie,
Ta demeure belle & iolie
Eſt ſituée ſur les lieus
Les plus plaiſans & gracieus
Qui ſoient dans les mains blãchelettes
Des tendrelettes pucellettes.
O dous ſeiour, logis heureus,
Logis plaiſant, & amoureus!
O douce maiſon, & heureuſe,

Maison plaisante, & amoureuse!
Mais ce logis tant precieus
N'est fait par vn art ocieus,
Ains quand le Ciron sort en vie
Soudainement il le charie,
Et tire vn sillon tout entier
En forme de petit sentier :
Puis sur vn bout dresse sa chaise
Où il se repose à son aise,
Et là seiourne clair & beau,
Comme le polaire flambeau,
Qui loin de la marine source
Reluist en-la queüe de l'Ourse.

　　Dirai-ie encores les apas
Dont tu prens, Ciron, tes repas?
Tu laisses aus dieux l'ambrosie,
Le nectar, & la maluoisie,
Aus Frellons tu laisses le miel,
Les épis, aus oyseaus du ciel,
Et les rosées matinalles
Aus Papillons, & aus Cigalles,
Et les bourgeons fraichement nés,
Aus Escargotz emmaisonnés :
Mais tu te pais d'une viande
Trop plus delicate & friande,
C'est de l'humeur des mains tendrettes

Des tendrelettes pucelletes.

  Comme les Fromis ménagiers
Tu ne vis en mille dangiers
Qu'un cheual, ou vne autre beste
Du pié t'écarbouille la teste,
Ou qu'on te frape en vn buisson
D'un coup de trait, comme vn pinson:
Ainsi que la mouche importune
Tu ne crains point que la fortune
Te face apast des hirondeaus,
Ou des pipians passereaus:
Ains en paix de seureté plene
Tu vis sans trauail, & sans pene,
Plain de repos, vuide d'ennuy,
Et de tout mal, comme celuy
Qui est seur es mains tendrelettes
Des blanchelettes pucelletes.

  Aussi croy-ie que ton bon heur
Feit long tems tenir en honneur
(Sil m'est permis d'ainsi le dire)
Chés les Perses le nom de Cire:
Car ils empruntoient les grans nons
De Cire, des petis cirons,
Comme aussi feirent la Sirie,
Et la Surie, & l'Assirie.

  Epicure semblablement,

Voyant à l'oeil euidamment
Alors qu'une ardeur demangeante
Luy causoit aus mains quelque fante,
Qu'en te mettant dedans, soudain
Tu faisois reioindre sa main,
Fermant la partie trenchée
Par certaine vertu cachée.
Estima que tout l'uniuers
Fut basti de cirons diuers
(Que autrement atomes il nomme)
Qui s'acrochans en vne somme
Pesle-mesle, front contre front,
Maçonnoient tout ce monde rond:
Tant auoit peu l'experience
Vers lui, Ciron, de ta puissance!
　　Mais quand en ce mortel seiour
Tu pers la lumiere du iour,
Ton sepulcre n'est en la terre,
Ny en l'eau, ny sous vne piere,
Ny en quelque bord estrangier
Comme le cors d'un naufragier:
Ains il est es mains blanchelettes
Des tendrelettes pucellettes,
Ton cors gisant au mesme lieu
Qui bien seroit digne d'un Dieu:
O si ie rendois ainsi l'ame!

Dedans le giron de ma Dame,
O que i'aurois de reconfort
En vne tant heureuse mort!
  Or' pour auoir mis en memoire,
Petit Ciron, ta grande gloire,
Ie te pri' n'outrager la peau
De mon Ronsard, ny de Belleau,
Affin que tu ne les amuses
A se grater, lors que leurs muses
Entonnent les celestes vers
Qui vollent par tout l'uniuers:
Ainsi les épingles pointues
Puissent toutes estre moussues,
Et les éguilles s'epointer,
Quand elles te voudront ôter
D'entre les mains mignardelettes
Des tendrelettes pucellettes,

LESCARGOT DE REMI
Belleau, à P. de Ronsard.

Vis que ie sçai qu'as en estimé
Le petit labeur de ma rime,
Point ie ne veux estre de ceux
Qui sont au mestier paresseux
Dont ils tiennent la congnoissance,

f. ii

Et en cachent l'experience,
Vraiment ie ne veux estre tel,
Car à l'exercice immortel
Des Muses, i'emploirai ma peine,
Pour checher l'immortelle veine,
Et le sourgeon du cler ruisseau,
Qui roule du double couppeau
De Parnasse, affin que i'abreuue
Quelquefois estant sur la greuue
De mon petit Roume argentin,
Qui flotte d'un pli serpentin,
Recherchant ton Loir, pour l'hommage
Qui lui doit de son voisinage.
Ma langue, pour mieux entonner
Le fredon que ie veus sonner
Sur mon Luc, de la douce flamme
Qui fait vn brasier de mon ame,
Et de l'honneur que ie te doi
Pour l'amitié que i'ay de toi.

 Toutesfois attendant que l'heure
T'en aura l'épreuue meilleure
Mis en main, ie te veus tailler
Vne limasse, & l'émailler
Au compas, comme la nature
En a tortillé la ceinture,
Comme au pli d'un petit cerceau

En boſſe en a fait le vaiſſeau,
Le vaiſſeau que ie veux élire
Pour le vanter deſſus ma lire.

 C'eſt donc toi cornu limaſſon,
Qui veus étonner ma chanſon
C'eſt toi, c'eſt toi race couſine
De la brigade Titannine,
Qui voulut écheler les cieux
Pour mettre en routte les haults dieux

 Il t'en ſouuient de l'entrepriſe
Et de la victoire conquiſe
Contre vous, car le bras vangeur
De nôtre ſang, fut le changeur.

 Quant pour eternizer la gloire
De telle conquiſe victoire
En ſignal du ſot iugement
Quils auoient pris enſemblement
D'oſer égaller leur puiſſance
A l'immortelle reſiſtance
De leurs harnois & de leurs os,
Il en tira les eſcargotz
Que voiés encor de la terre
Leur mere (mocquant le tonnerre,
La corne droitte, bien armés)
Contre le ciel naiſtre animés.

 N'eſſe pas contre la tempeſte

f. ij.

Que portés braue sus la teste
Le morion bien escaillé,
Bien cizelé, bien émaillé,
Et comme race opiniatre
Que cherches encor à combatre
. La marque des vieus fondemens
Et les superbes bastimens?
Grimpant a-mont pour faire eschelle,
Pensant que soit la citadelle
Dont Encelade foudroié
S'aterra menu poudroié,
Comme par l'esclat d'un tonnerre
S'empoudre le bois & la pierre,
Ou comme le flanc d'un rampart
A coups de balle se depart?

  Puis d'une deux-fois double corne,
Braue, tu rampes sur la borne
De quelque Olympe sourcilleux,
Ou d'un Pelion orguilleux,
Semblant defier la menace
De Iuppiter par ton audace.

  Mais, helas! tout en vn moment
Au seul soupirer d'un dous vent
Tremblant de peur, ta laide trongne
Dans sa coquille se renfrongne,
Craignant le foudre punissant

Que darde son bras rougissant
  O sotte race outrecuidée
Que la fureur auoit guidée,
Non la raison, pour aprocher
Celui qui la fist trébucher
D'un clin d'oeil! telle est sa puissance
Contre l'humaine outrecuidance,
Telle est la rigueur de ses mains
Contre la force des humains.

  Cela vraiment nous doit aprendre
De n'oser iamais entreprendre,
De n'oser iamais attenter
Chose contraire à Iuppiter,
Ou tendoit leur sotte auanture
Que pour combattre la nature,
Qui par vn certain mouuement
A sur nous tout commandement.

  Aussi le sang, & le carnage
De leur sort, tesmoigne la rage,
La grand' colere & la fureur
De Bacus braue auancoureur.
Quant à dos & teste baissée
En peau de lion herissée,
A coups d'ongles, à coups de dens
Tout pesle-mesle entra dedans,
Et de la rencontre premiere

                    f. iij.

Satacque à l'aparance fiere
Du grand Rhete, qui repouſſa
De tel effort qu'il l'enfonça,
Et mort eſtandu ſur la place
Empoudra ſa ſanglante face,
Sans mille, auquels pour s'aprocher,
L'ame & le ſang leur fiſt cracher.

　Et c'eſt pourquoi pere indontable
Cette vermine miſerable
Pour plus traiſtrement ſe vanger,
Encor' auiourd'hui vient ronger
L'eſpoir, & la vineuſe attente
Du gemmeux bourgeon de ta plante.

　Auſſi pour te vanger ie veux
En faire vn ſacrifice d'eus
Dreſſant vn triomphe en memoire
De la braue & gente victoire
Comme iadis l'on ſanglanta
Le couteau du bouc qui brouſta
Le ver tandron de la ramée
Du beau ſep de ta vigne aymée.

　Tu ſeras donc vif arraché
Hors de la cocque, & embroché
A c'eſt échallas pour trophée,
Où pandra ta chair étouffeé
Dans la terre premierement,

Qui produiſt tel enfantement,
Et telle outrageuſe vermine
Qui ronge la grappe Erboiſine
  Les armes ie les garderai,
Et puis ie les derouillerai,
S'il te plaiſt pour ſeruir d'augette
Ronſard, à ta gente Alouette.
Ou (ſi tu le veis ramager)
A ton Rouſignol paſſager
Qui d'une voix doucement rare
Pleure encor la couche barbare,
Loutrage, le tir inhumain
Que forfiſt la cruelle main
Du traitre rauiſſeur Terée
Aux chaſtes feux de Cytherée.

f. iiij

❧ G A Y E T E.

Ay vescu deux mois, ou trois,
Mieux fortuné que les Roys
De la plus fertile Asie,
Quand ma main tenoit saisie
Celle, qui tient dans ses yeux
Ie ne sçay quoy, qui vaut mieux
Que les perles Indiennes,
Et les Masses Midiennes.

Mais depuis que deux Guerriers,
Deux Soldars auenturiers,
Par vne treue mauuaise
Sont venus atrister l'aise
De mon plaisir amoureux,
I'ay vescu plus malheureux
Qu'un Empereur de l'Asie,
De qui la terre est saisie,
Fait esclaue sous la loy
D'un autre plus vaillant Roy.

Las! si quelque hardiesse
Enflamme vostre ieunesse,
Si l'amour de vostre Mars
Tient vos cœurs, allez Soldars
Allez bienheureux gendarmes,
Allez, & vestez les armes,

Secourez la fleur de lis:
Ainsi le vineux Denys,
Le bon Bacchus porte-lance
Soit tousiours vostre defence.

Et quoy? ne vaut-il pas mieux
Nobles Soldars furieux,
De coups éclairßir les foules,
Qu'ainsin éfroyer les poules
De vos sayons bigarrez:
Allez, & vous reparez
De vos belles cottes d'armes,
Allez bienheureux gendarmes,
Secourez la fleur de lis:
Ainsi le vineux Denys,
Le bon Bacchus porte-lance
Soit tousiours vostre defence.

Il ne faut pas que l'hyuer
Vous engarde d'arriuer
Où la bataille se donne,
Où le Roy mesme en personne
Plein d'audace, & de terreur
Epouante l'Empereur,
Tout blanc de crainte poureuse,
Desus les bors de la Meuse.

A ce bel œuure, Guerriers,
Serez vous pas les premiers?

Ah, que vous aurez de honte
Si vn autre vous raconte
Combien le Roy print de fors,
Combien de gens seront mors
A telle ou telle entreprise:
Et quelle vile fut prise
Par eschelle, ou par assaut,
Combien le pillage vaut,
En quel lieu l'infanterie,
En quel la gendarmerie
Heureusement à fait voir
Le exploitz de son deuoir,
Noble de mille conquestes:

   Lors vous besserez les testes,
Et de honte aurez le tainct
Tout vergongneusement teint.
Et fraudez de telle gloire
N'oserez manger, ny boire
A l'écot des Tauerniers,
Ny iurer comme Sauniers
Entre les gens du village,
Mais portant bas le visage,
Et mal assurez du cœur,
Tousiours vous mourrez de peur
Qu'vn bon guerrier ne brocarde
Vostre lacheté coüarde.

Donc, si quelque honneur vous poingt
Souldars, ne cagnardez point,
Suiuez le train de voz Peres,
Et raportez à voz Meres
De vos victoires le bien :
Sans vous ie garderay bien
Vos Sœurs, allez donc gendarmes,
Allez & vestez les armes,
Secourez la fleur de lis,
Ainsi le vineux Denys,
Le bon Bacchus porte-lance
Soit tousiours vostre defence.

Fautes aperceües en l'impreſſion.

Page. Ligne.

4. 3. aſſerée. Liſez acerée.
6. 5. ciguale.l.Cigalle.
6. 7. tendrons. l. tendons
13. 15. m'en uoier.l. m'enuoier.
24. 15. pniſſe. l. puiſſe.
15. 8. enuyé.l.ennuyé.
18. 4. beſſe.l.baiʒe.
19. 1. feront. l. feroit.
19. 10. Lacs. l. Latz.
19. 13. ſelle. l. ſ'elle.
19. 13. vouloir. l. vouloit.
20. 7. plueſt. l. pleuſt.
21. 8. promette. l. promettre
23. 21. cheʒe. l. châire.
24. 9. l'emprindre. l. l'empreindre.
28. 21. ſçarois.l. ſçaurois.
31. 7. qui te redemandra. l. qui redemandera.
31. 24. Imbret. l. Imbert.
32. 3. en ſa peine. l. à ſa peine.
34. 3. prigne. l.prenne.
44. 2. vouloir.l. voir.
44. 7. Aubret.l. Aubert. Lig. 15. idem.
48. en la marine. l. dedans la marine.

Suyuant le priuilege du Roy, octroyé a P. de
Ronfard Vandemois, Il est permis a Vincent Sertenas, & a Iean Dallier Marchans Libraires de-
mourans à Paris, d'imprimer, ou faire imprimer
la Continuation des amours dudict Ronfard, iuf-
ques au terme de fix ans finis & accomplis, à com-
mencer du iour que ladicte Continuation fera
acheuée d'imprimer, Comme il appert par vn trãf-
port que ledict de Ronfard en â fait aufdicts Vincent Sertenas, & Iean Dallier.

Made at Dunstable, United Kingdom
2025-02-10
http://www.print-info.eu/

58131713R00053